大家小书

董每戡 著

西洋戏剧简史

北京出版集团公司
北京出版社

图书在版编目（CIP）数据

西洋戏剧简史 / 董每戡著. — 北京：北京出版社，2020.3

（大家小书）

ISBN 978-7-200-14778-0

Ⅰ.①西… Ⅱ.①董… Ⅲ.①戏剧史—西方国家 Ⅳ.①J809.1

中国版本图书馆CIP数据核字（2019）第066225号

总　策　划：安　东　高立志　　责任编辑：司徒剑萍　李更鑫

·大家小书·

西洋戏剧简史

XIYANG XIJU JIANSHI

董每戡　著

出　　版	北京出版集团公司 北京出版社
地　　址	北京北三环中路6号
邮　　编	100120
网　　址	www.bph.com.cn
总　发　行	北京出版集团公司
印　　刷	北京华联印刷有限公司
经　　销	新华书店
开　　本	880毫米×1230毫米　1/32
印　　张	8.125
字　　数	138千字
版　　次	2020年3月第1版
印　　次	2023年2月第2次印刷
书　　号	ISBN 978-7-200-14778-0
定　　价	48.00元

如有印装质量问题，由本社负责调换
质量监督电话　010-58572393

总　序

袁行霈

"大家小书",是一个很俏皮的名称。此所谓"大家",包括两方面的含义:一、书的作者是大家;二、书是写给大家看的,是大家的读物。所谓"小书"者,只是就其篇幅而言,篇幅显得小一些罢了。若论学术性则不但不轻,有些倒是相当重。其实,篇幅大小也是相对的,一部书十万字,在今天的印刷条件下,似乎算小书,若在老子、孔子的时代,又何尝就小呢?

编辑这套丛书,有一个用意就是节省读者的时间,让读者在较短的时间内获得较多的知识。在信息爆炸的时代,人们要学的东西太多了。补习,遂成为经常的需要。如果不善于补习,东抓一把,西抓一把,今天补这,明天补那,效果未必很好。如果把读书当成吃补药,还会失去读书时应有的那份从容和快乐。这套丛书每本的篇幅都小,读者即使细细地阅读慢慢地体味，也花不了多少时间，可以充分享受读书的乐趣。如果把它们当成补药来吃也行，剂量小，吃起来方便，消化起来也容易。

我们还有一个用意，就是想做一点文化积累的工作。把那些经过时间考验的、读者认同的著作，搜集到一起印刷出版，使之不至于泯没。有些书曾经畅销一时，但现在已经不容易得到；有些书当时或许没有引起很多人注意，但时间证明它们价值不菲。这两类书都需要挖掘出来，让它们重现光芒。科技类的图书偏重实用，一过时就不会有太多读者了，除了研究科技史的人还要用到之外。人文科学则不然，有许多书是常读常新的。然而，这套丛书也不都是旧书的重版，我们也想请一些著名的学者新写一些学术性和普及性兼备的小书，以满足读者日益增长的需求。

"大家小书"的开本不大，读者可以揣进衣兜里，随时随地掏出来读上几页。在路边等人的时候，在排队买戏票的时候，在车上、在公园里，都可以读。这样的读者多了，会为社会增添一些文化的色彩和学习的气氛，岂不是一件好事吗？

"大家小书"出版在即，出版社同志命我撰序说明原委。既然这套丛书标示书之小，序言当然也应以短小为宜。该说的都说了，就此搁笔吧。

《西洋戏剧简史》导读

董上德

一

《西洋戏剧简史》收入"大家小书"系列,是一件值得高兴的事情。

此书作者董每戡先生(1907—1980),是戏剧史家、戏剧理论家和剧作家,中山大学中文系已故教授。

先生的著作,在戏剧研究圈子里广为人知,如《说剧——中国戏剧史专题研究论文集》(人民文学出版社,1983年出版)、《五大名剧论》(人民文学出版社,1984年出版)等,自出版以来,学界甚为重视,多有引用。

1999年,广东高等教育出版社出版三卷本《董每戡文集》;2011年,岳麓书社出版五卷本《董每戡集》,先生的学术影响力与日俱增。除了学术人物的身份外,作为与鲁迅、郁达夫、田汉、陈寅恪等有过或深或浅交往的历史人物，董每戡先生的一生经历和学术磨难，更是成为近来戏剧研究者和历史研究者共同关注的一个话题，相关著作有《历史的忧伤：董每戡的最后二十四年》（陆键东著，香港中和出版有限公司，2017年出版）。

粤版《董每戡文集》及湘版《董每戡集》均收入了《西洋戏剧简史》。如今，列入"大家小书"的京版《西洋戏剧简史》即据湘版而有所校订。

为便于读者了解《西洋戏剧简史》一书，兹应北京出版社之约，试作导读，并请方家指正。

二

先谈谈《西洋戏剧简史》一书的写作背景。

《西洋戏剧简史》由商务印书馆初版于1949年。翻开本书，并未见到著者的前言或后记，我们只能借助于他为另一部书《西洋诗歌简史》所写的"自序"约略得知写作本书的缘起。

原来，每戡先生在1943年下半年由贵阳转往四川的三台县，出任已经迁往此地的"国立东北大学"的教师。他在《西洋诗歌简史》"自序"里写道：

> 一个偶然的机缘，使我不得不写这《西洋诗歌简史》。本来，我所专攻的不是西洋文学，并且已学得的几种外国文也都已荒疏得几乎不能阅读较深奥的典籍了。1943年的秋天应老友陆侃如先生之招，暂时放下抗战戏剧工作，由贵阳到川北的三台县，在国立东北大学中国文学系教课，系中有必修课西洋文学史一课，好几年没有人开讲，于是逼着我吃苦头了，又于是，在参考书不易得的条件下，每上午坐在斗室中瞎编，阅八月，成《西洋文学史》卅余万言。

而我们眼前这部《西洋戏剧简史》与《西洋诗歌简史》是有关联的，它们都是先生这30余万言的《西洋文学史》的组成部分。且听先生不无解嘲地慢慢道来：

> 卅余万言的《西洋文学史》原是饾饤之作，惟间有己意。敝帚自珍，人之常情，每载常人，岂能免俗？况生活逼人，甘于粝藿亦几不可得，惟能厚颜以饾饤之作易钱生活，所以前些日子将戏剧部分抽出，自成独立的《西洋戏剧简史》，卖给了商务印书馆；刻复将诗歌部分加以整理，也出卖了。

(见岳麓书社版《董每戡集》第三卷;《西洋诗歌简史》另交文光书店于1949年出版)

换言之,如今印行的《西洋戏剧简史》原是先生在"国立东北大学"讲授"西洋文学史"一课的讲义的戏剧部分,加以整理而成了一个单行本。至于"瞎编"云云,自是谦辞,1949年初版后仅一年,于1950年再版,可见受到读者的欢迎;其后,香港商务印书馆还于1964年重刊。

当年,同类专著甚少,是此书的读者不断增多的缘由。

三

再看《西洋戏剧简史》的历史分期与学术含量。

所谓"西洋",涵盖欧美多国,在历史分期问题上,《西洋戏剧简史》和《西洋诗歌简史》的做法一样,均分为"古代期""过渡期""近代期"三部分。二者如此统一,可能是先生在讲课时先列出各个历史分期,然后每一个分期再分别就不同的文体如诗歌、戏剧等来讲授。

就《西洋戏剧简史》而言,分为三个时期,与欧美学者所写的通行的世界戏剧史著作大致相符。比如,美国学者编写的《世界戏剧史》（奥斯卡·G.布罗凯特、弗兰克林·J.希尔蒂合著，周靖波译，上海三联书店，2015年出版），开头部分有三章："戏剧的起源""古希腊剧场与戏剧""希腊化时期、罗马、拜占庭的戏剧"，第四章就是"中世纪欧洲戏剧"。而《西洋戏剧简史》的上篇是"古代期戏剧"，讲的是希腊、罗马，与《世界戏剧史》前三章大体对应；中篇"过渡期戏剧"，讲的是中世纪文艺复兴期的欧洲戏剧，与《世界戏剧史》第四章也大体对应；至于下篇"近代期戏剧"，从意大利、法兰西、西班牙等国一直讲到美利坚，《世界戏剧史》与之相比就显得丰富得多、细致得多。但不管如何，作为并非以西洋文学研究为主业的董每戡先生能够如此编写，起码不算"外行"。

何止不算"外行"，先生还是讲课的高手，我们从《西洋戏剧简史》的具体内容可以看出先生的编写思路，是在编写讲义（教材），与一般的专著不同，字里行间流露出编写者"拟想中的讲课话语"。谓予不信，请看书中一个片断：

> 十九世纪是浪漫主义的时代，法国的浪漫主义是受德国、英国影响的，所以关于浪漫主义的意义等，在此不叙述，有人称浪漫主义文学为"文学化的法国大革命"，这话是

很正确的。自然说到法国的浪漫主义,我们不能忘记雨果和他的韵文剧《欧那尼》,现在就由他说起。

就语体风格来说,这就是"拟想中的讲课话语",什么可以"在此不叙述",何者要重点讲授,并且还设想着如何讲起,这是拟想中的"授课内容"与当下的"著述行为"的高度统一。

我们还不妨顺便将先生介绍雨果的一段文字与上述《世界戏剧史》相关的文字对比看看,是很有兴味的事情,从中可以"窥探"《西洋戏剧简史》的学术含量:

> (介绍雨果生平)……这里仅说他在戏剧上的成就。1827年举起浪漫主义的火把,他的《克伦威尔》一剧出世,这是他想以之证明自己的理论的东西。他认为不需要"三一致律",重要的是动作,传统悲剧中的对仗、有韵诗都应摒弃,诗的作风必须自然,主张离奇,必须和恐怖合作一起;不过这剧还不是极好的作品。到了1830年,拿出杰作五幕十六场的《欧那尼》,古典主义和浪漫主义的恶战便开始了……(见本书下篇"法兰西")

这是先生对雨果前后两部浪漫主义剧作的简要评论。接着再读《世界戏剧史》：

> 法国的浪漫主义的理论宣言仍首推雨果的《〈克伦威尔〉序言》（1827）。维克多·雨果（1802—1885）呼吁抛弃时间和地点一致律，谴责文类上的严格区分，主张将戏剧行动置于具体的历史场景中。……当雨果的《欧那尼》在法兰西喜剧院上演的时候，剧场内浪漫主义者与传统维护者之间的激战将演员的声音都淹没了，这种局面持续了几个晚上。（见该书第12章"十九世纪前期的欧洲大陆戏剧"）

这部《世界戏剧史》初版于1968年（晚于董每戡《西洋戏剧简史》几近20年），到2008年已经出版至第十版，是风行全球的戏剧史权威读本。两相比较，同样的论述对象，就基本的信息来看，《西洋戏剧简史》没有遗漏；而就论述文字而言，先生相当精炼地点出雨果的戏剧观是"他认为不需要'三一致律'，重要的是动作，传统悲剧中的对仗、有韵诗都应摒弃"，《世界戏剧简史》说雨果"呼吁抛弃时间和地点一致律，谴责文类上的严格区分，主张将戏剧行动置于具体的历史场景中"。二者的学术含量大致相当，只是表述各有特色。

如果将每戡先生的《西洋戏剧简史》与当今世界上风行的同类著作比较，可以发现，它固然简略，可编写得法，线索清晰，至今也并未过时。

本书以《西洋戏剧简史》与《戏剧的欣赏和创作》合刊。后者初版于1951年，由（北京）群众书店出版。它先为戏剧"辨体"，分析其不同于诗歌、散文、小说等的文体特性，以戏剧的"演剧性"为切入口，以"演剧性"与"文学性"的双重特质为考察对象。部头不大，却也写得相当精要，是"金针度人"之作。

总之，出版董每戡先生的《西洋戏剧简史》（含《戏剧的欣赏和创作》）是一件很有意义的事情。先生的著作至今仍然具有启迪后人的学术价值。

2019年8月21日于中山大学

目 录

西洋戏剧简史

- 003 / **上篇　古代期戏剧**
- 003 / 一　希腊
- 023 / 二　罗马
- 036 / **中篇　过渡期戏剧**
- 036 / 三　中世纪文艺复兴期的欧洲
- 057 / **下篇　近代期戏剧**
- 057 / 四　意大利
- 070 / 五　法兰西
- 085 / 六　西班牙
- 094 / 七　德意志
- 108 / 八　斯堪的纳维亚
- 121 / 九　葡萄牙、荷兰、比利时
- 125 / 十　俄罗斯（苏联）
- 138 / 十一　英吉利
- 157 / 十二　美利坚
- 165 / 《西洋戏剧简史》版本一览

戏剧的欣赏和创作

169 / **戏剧欣赏**

169 / 一 怎样读剧

181 / 二 怎样看戏

194 / **怎样作剧**

229 / **《戏剧的欣赏和创作》版本一览**

西洋戏剧简史

上篇　古代期戏剧

一　希　腊

希腊人民的生活跟宗教是不可分离的,戏剧这一异彩之花之所以产生,还是起源于宗教。希腊戏剧最初用之于祭神,这个神可说是独立而无所偏倚的神,他的足迹不只限于希腊,以外的国度里也有奉他为主宰的。这神名狄奥尼索斯(Dionysos)①,或称巴卡斯(Bacchus),据说还有别号叫蒲洛米奥斯(Bromios),这些都含有一切生物之精气或生意之发动的意思。他管葡萄及五谷的丰收,尤其葡萄是酿酒的原料,所以人们称之为酒神。他曾周游世界,受过许多磨难,结

---

① 为尊重作者原文,保持作品原貌,编辑对书中翻译部分(包括人名、剧名、地名)未做修改。

果能战胜了一切困难,这便是生命力坚强的象征。也就是说他是物质享受及刺激的赐予者,人世上凡是足以伤害人类生活力者,都是他的仇雠,所以享乐人生、终日兴高采烈的希腊人,特别崇拜酒神。

希腊的戏剧,也就直接由这祭酒的仪式产生。每年的圣节在采集葡萄、酿酒或春归时举行,祈祷人畜的长养,并感谢现在神赐的丰收。神话以至祭神,本是原始人心理的产物,尤其在农业社会里,他们感到四时运行,跟赖以生活的种植关系极密切,对之疑惧和喜望交并,既惧严冷的冬天常驻,又恐温暖的春光不再来,在希腊才有送冬唤春诸仪式。正是所谓"情动于中而形于言,言之不足,故嗟叹之,嗟叹之不足,故咏歌之,咏歌之不足,不知手之舞之,足之蹈之也",所以亚里士多德(Aristotle,384—322B.C.)说希腊悲剧的起源,是由于《春歌》(*Dithyrambos*)。

所谓《春歌》,也即《生之复活的歌》,柏拉图(Plato,427—347 B.C.)说是歌咏狄奥尼索斯之一生事迹的,后世却渐渐忘却了春祭的本意。或说狄奥尼索斯本来只是生命的精灵,他的形状不一,或为木,或为兽,或为人,最初时系用一木株,上面缠着布帛,木株被刻作人面,装饰以薜萝、葡萄及无花果;或做牛马状,舞蹈的人也伏在地上做牛鸣,缚马尾于背，以像其状，意思是说这样模仿他的形状，模拟他的行动，便能得到灵感（Enthousiasmós），因之可和神灵相接；尤以扮山羊形为最多，后虽变形为丈夫，为婴儿，为少年，他的随从始终还扮羊形的萨的罗（Sátyros），这便是Tragikos khoros，又一变而为Tragedia（悲剧）。世传阿利翁（Arion）初作合唱舞蹈歌（Dithyrambos），他是纪元前七世纪左右的诗人，他所完成的合唱舞蹈歌的合唱人数为五十人，都扮装为萨的罗，这是传说，也许不是他的创造，仅是由他改订的也说不定，Dithyrambos的字义是"神喜"或"神跃"。

这可以由希腊人信仰宗教的特殊处得到证明，上面所述的不至有大错误。希腊人相信神和人是相差不远的，不过较人稍聪明正直，智和能都更健全，所以能永生不朽；同时人原是由兽进化的，人和兽的间隔也不远，所以神也可能有兽形；至少他的随从们更可能有兽形。我想这种解释或许可以通得过。

从塞雷斯（Thrace）的荒山上降下这一个富有精神和阳气的神狄奥尼索斯，那校订荷马诗篇的雅典僭主庇士特拉妥，为他造祠庙于雅典。这位僭主一面奖励农业，亦努力使雅典成为工商业国家而从海上向外发展贸易；又一面奖励文学美术，在纪元前535年举行竞歌会，所有作者都得献一曲，到了祭日，选取其中最佳的三本来歌唱，校定优劣。当时塞士比斯（Thespis）得赏，这可以说是演剧的起源。最初歌队所歌的只是Dithyrambos一种，所以歌人始终做萨的罗状，祭神的仪式，不过是一些群众排成的行列，以僧侣站在前头，先登到狄奥尼索斯神的祭坛上去献牺牲，其仪式中加舞蹈，加歌曲，不久又加僧侣和合唱队的问答，越趋近演剧；这才祭坛变为舞台，后竖起柱子，在其间张兽皮来遮蔽，这便是被称为Skené的地方；后来慢慢地移作背景，加以藻绘，演剧形态渐趋完成，观剧者所站立的场所也就被称为Theatron了。

前面已经提到过，合唱舞蹈歌（《春歌》）是咏狄奥尼索斯之一生事迹的，大致是分为《奋争》（*Agôn*）、《苦难》（*Páthos*）和《灵见》（*Epiphania*）三段落，后来觉得过于枯寂，方在前头加以他种歌曲，例凡三章，合Dithyrambos统称为四部曲（Tetralogia）。歌者五十人，作曲者为歌咏队领袖，在歌咏之间，这位领袖须出来致辞，独白或问答，一面是增加歌的兴趣，一面是使歌者可以渐憩。接着更进一步，歌队分为左右二队，各队有一队长，合作者为三人，所以悲剧演员凡三人，称为Hypokrites，字义是应对者，意思是说作者陈词，二人应答。

古代戏剧史的发展已略述过了，现在进而叙述那最早最伟大的三位悲剧诗人。

希腊以世界闻名的"麦拉松之役"（Marathon）击败强大的侵略者——波斯王国之时，正当奇异的世纪——纪元前五世纪。这一胜利使希腊，尤其是雅典非常隆盛起来，凡逢战胜后的国民当然特别兴奋。况雅典在这时刚脱卸了农业封建制度的硬壳，转变到劳资阶级的民主政治，商业资本又很有惊人的发展，一般商人都集于城市。这些乘战胜而兴奋的自由市民，感觉到过去旧形式的史诗、抒情诗等等的单纯，已不足娱乐身心，并且也不能完全代表他们的心意，极需要一种有刺激的新型的娱乐，戏剧文学也就应运而生。商人们都愿拿出钱来培植新的艺术，供演剧的人以俸给，就是拿钱供养剧作家及竞赛时必须有的演唱者——歌唱队员。国家呢，负担观剧者的观剧费，当时剧场又庞大，可以容纳三万个观众，农民们自然由乡下赶到城里观光，商业可因之繁荣，财富更易于集中，国家也因而隆盛；再加上贝里克（Pericles，495—429 B.C.）是位大政治家，对于文学艺术大加奖励。不过这繁荣、这财富、这享乐，依然是属于自由市民的，百分比上占最多数的奴隶们，还没法享受，这也是当然的事。在这个时候，这新型艺术的确需要，也的确因这样的政治经济的条件而产生了。

于是一个在麦拉松战役参战的小兵士埃斯库罗斯（Aeschylus，525—456 B.C.），就发明了可供自由市民娱乐，而又可作组织群众意识之好工具的戏剧。他是雅典附近的阿留西斯（Eleusis）人，他的父母是阿的加（Attic）的贵族，在政治和宗教的氛围中长大成人的他，所以写作的东西中，大都处理半神的人和大英雄，信仰"命运"的秘密，情节高尚而深奥，但充满着恐怖、震栗的权威及激动的热情！希腊人一般都相信他的戏剧天才是神特别赐给他的，因之传说他当年少时到葡萄园里去看摘葡萄，在那儿睡着了，狄奥尼索斯神到他身旁，命令他去写悲剧；或说他看守父亲的羊群，打盹儿做了一个梦，幻觉中有天神命令他写悲剧，在宗教典礼中，宣扬神的荣光；于是他醒了，写了，而且成功。传说不一定靠得住，我们只可姑妄听之，不过他的天才卓越，文笔奇异，我们可以由他的作品中窥见他的伟大。

他开始作剧在二十五岁左右，可是在十五年后才获冠军；同时他把技术练得极纯熟，从纪元前484年首次获奖起，几乎每一次都荣获冠军，一直到逝世（以后又得二十一次）。他死是在纪元前456年，却并不死在雅典或阿留西斯，而是死在西西里（Sicily）。

自他开始作剧，至奇异的死亡，四十几年，据说共写了九十种戏剧，大致都是三联剧（三部曲Triology）。他自己说他的悲剧是"荷马的大筵席中的几口羹菜"，这是他的自谦，在后人看来，他的伟大并不亚于荷马，正如他自书墓铭所云："麦拉松的森林实足以证他的勇敢！"这话在他自己也许指其他，我们却可以认为指作剧。所可惜的是这些伟作只有七篇遗留到后世，而且都不完全，仅有《奥勒斯底》（*Oresteia*）三联剧算是完整的；而也以此及《普罗米修斯》（*Prometheus*）为最佳。《奥勒斯底》为他在纪元前458年所作，第一部《阿加孟农》（*Agamemnon*），就在那年酒神节中得头奖，第二部《献酒女》（*Choephoroi*），第三部《善神群》（*Eumenides*）。《普罗米修斯》原也是三联剧，第一部《取火者普罗米修斯》（*Prometheus Fire Bearers*），第二部《普罗米修斯被缚记》（*Prometheus Bound*），第三部《被解放的普罗米修斯》（*Prometheus Unbound*）；一和三两部都已散佚，现在仅存第二部。

他的最初的作品是《吁请之女》（*Supplicos*），创作年代不详，也是三部曲的第一部。《波斯人》（*Persae*）一作为纪元前472年得赏之作，因他参加了希波战争，当时就写了这一部作品，是三部曲的第二部。

《七人》（*Hepta epi Thêbas*）即纪元前468年被索福克勒斯败了的后一年（467 B.C.）得赏之作，此曲之前有二曲，一为 *Laios*，二为 *Oidipous*，记兄弟争位，兴动干戈，弟 Polyneikes 联合七国君主攻击他的哥哥Eteokles，至于兄弟相杀，所以此剧也称《七雄围攻西皮城》。

现在进而谈埃斯库罗斯的劲敌索福克勒斯（Sophocles，496—406 B.C.），他是希腊的第二位悲剧诗人，较埃斯库罗斯小三十岁，生于雅典近郊的珂洛诺斯地方，家里虽不是贵族，却很富裕，因为他的父亲苏斐洛斯（Sophilos）雇用许多奴隶从事各种工业，致成为一个富豪。索福克勒斯因之在幼年能和贵族的子弟一样受良好教育，学习音乐舞蹈，兼受体育的训练。正因为他的姿态优美和音乐舞蹈的技术卓越，在他十六岁的时候，被选为庆祝萨拉米斯海战胜利大会中的合唱队指挥。这位健美而富有艺术天才的少年，赤裸着身体，头戴着花圈，手扬着竖琴，出现在这个大宴会中，他的天才就被一般希腊人认识了，得到了"雅典的蜜蜂"（Attic Bee）的雅号。他跟埃斯库罗斯一样，同是在爱国的热情氛围中成长的；不同的是他少年时在安静环境里度过，更没有像埃斯库罗斯那样参加过战争和阵亡了兄弟的凄惨的经历，甚至终身在雅典，没有游历过其他地方，所以他的性情是快活的，爱好"美"和"乐"。柏拉图说他是极爱好平和的人，又说起他晚年的时候，会欢喜他自己能从热情的奴役里释放出来，说："我极快乐地从他那里逃出，我觉得我似乎是从一个发狂的愤怒的主人那里逃出。"他不只少年时代快活，简直一生都是快快活活地过的。

他二十八岁时参加酒神狄奥尼索斯祭典中的戏剧竞赛，战败了五十七岁的老作家埃斯库罗斯，而获得首奖。后六十年间，继续保持着这荣誉。他也和埃斯库罗斯似的亲身站在舞台上，但作为演员并没有盛誉，因他都不演主角；在社会上的声望地位却很高。当萨明战役（Samian War）时，人民普遍地选他为大将，这完全由于他的天才被爱戴之故。生前得到当祭司的资格，死后被作为神祭祀。在舞台上以性情温良、姿态优美为人爱，在家庭里据传说则稍有缺陷，偏爱庶子而惹起跟长子的争论，除此外，一切都很平和。他终身没有离开雅典，也因为家庭生活舒适，才没有像其他诗人们那样到他国宫廷去居住的必要。他一直活到九十一岁那年才逝世，少他十五岁年轻的敌手欧里庇得斯（Euripides）死时，这位老诗人还能缠着黑纱站在舞台上吊丧呢，一生宁静淡泊，宽宏大量，爱美享乐，好交朋友，所以克享遐龄。

在世九十余年，自从二十八岁得首奖起，共作剧一百四十篇（又说一百二十三篇，又说一百三十篇），应竞演之数三十次，优胜约二十次（大致有剧作八十篇），现存者不过七篇，计为（1）*Ajax*，（2）*Antigone*，（3）*Electra*，（4）*Oidipous Tyrannos*，（5）*Trachiniae*，（6）*Philoctetes*，（7）

Oidipous Epi Kolono。此中被断定（1）（2）两篇为初期作品，（3）（4）（5）三篇为中期作品，（6）（7）两篇为后期作品。

他的作品跟埃斯库罗斯的不同，因他的宗教信仰较淡薄，不像埃斯库罗斯那样说教成分常多于戏剧成分，至于对命运的信仰却还没有两样，自然力的伟大与执拗在他们的心目中，还不至有差异；不过取材上索福克勒斯是跨前了一步，稍稍变换了方向。埃斯库罗斯是接近神的；索福克勒斯是较倾向于人间的，从神归到人，从超人间归到人间，从一种正直的宗教的信仰归到合理的人生观，不用力渲染宗教的信仰，而用力于人物的性格描写；在他的生活上、作品上，都到达了所谓希腊大理想的和谐（The Great Greek Ideal of Harmony）。他的剧作的卓越处，是在于结构的精密、角色的崇高、韵文的优美和戏剧趣味的浓烈，可以说正反映着他的生活的沉着稳定和具有宁静淡泊而自甘的气质。

此外，他对戏剧技术上的贡献也很多：将塞士比斯和埃斯库罗斯所创造的形式发扬光大，并且完成了它；增加合唱队的人数，开始把演员由两人增为三人，使对话的要素重于合唱；取消了三部曲（三联剧）的结构形式，写单独自立的作品；给予演剧者以更美观的服装。七篇遗作中一般都说他的《安提戈涅》（*Antigone*）最有力量，《俄狄浦斯王》（*Oidipous Tyrannos*）最感动人。

大致，希腊的悲剧，开头不离于神话传说，过些时慢慢地离开，最后倾向于人间的写真。埃斯库罗斯的人物，是神与超人；索福克勒斯渐脱离了神话传说的范围，转到现实的人生，他的人物都是些平常的人间男女；到了第三位悲剧诗人欧里庇得斯，把这倾向更深化，写实的风味更浓厚，作者的世界观也完全不同了。

希腊悲剧诗人第三位——也是最后一位伟大的作者——欧里庇得斯［Euripides，480—407（或406）B.C.］，在萨拉米斯海战时生于雅典东北的斐里亚（Phlya）一个富裕的上等人家，年少时师事伊奥尼亚派哲学家阿那克萨哥拉（Anaxagoras，500—428B.C.），十八岁开始写悲剧，三十岁后方为世人所知。他的出世，不像索福克勒斯那样顺利而轰轰烈烈，而且三十岁后二十年间也不大写作，一共不过作了十七篇，最后三十年间却作了七十五篇，合计达九十二篇（一说共七十五篇）。当他开始写作时，雅典的自由市民已不大信仰众神，而且他又受了师友及阿那克萨哥拉的无神论所影响，他以为神的传说是不道德的：如果他们是真实的，那末众神不足使我们崇拜尊敬；如果是非真实的，那末古代希腊的宗教全部组织都得粉碎。他看来对于神是没有一定的信仰或不信仰，并坚持着不信仰神或众神并不影响于道德观点，时常在剧中宣传狄奥革尼斯（Diogenes of Apollonia）的自然学说。

欧里庇得斯的性情又和前两大家不同，跟时世不相投合，不欢喜雅典人的思想和意识，厌恶这建筑在神权及贵族公民权之上的都市，所以离开都市而到萨拉米斯海岸的岩窟里去。实际上他少时是一个爱国志士，也曾亲赴战场，但后来看见人类的悲哀苦痛，才一变他的思想，以至于要消灭战争，要废除帝王制度，要废止奴隶制度，要打倒僧侣阶级。他在某著作的劈头咏道："军船航海，得意扬扬，流血之惨，破灭之神，载于其上，这军船本身，何曾有过这想象？"因为他自身是个思索家，好和苏格拉底（Socrates，469—399 B.C.）、普罗迪珂斯（Prodikos，前5世纪左右）、普罗塔戈拉（Protagoras，481—411 B.C.）等思想家交游，在艺术上具有现实的批判精神。悲剧在形式和内容上都由他起了大变化，虽然时代的风尚、历史的必然，促成他的大胆的改变，师友等给他的影响及他自己的思索力也不可否认。悲剧里没有神祇和伟大的英雄，完全由平凡的人来担当要角，固由索福克勒斯起；然而他更能大胆地推进一步，这"人化"之外加上"平民化"，剧里的人物是些说雅典话且穿破衣服的当代人。从前专采用所谓高贵而合理想的人生为题材，他却采用一些被一向认为丑恶不堪的平凡故事。悲剧在他手里失去了宗教作用，变为世俗的娱乐。在某些保守的人看来，是把悲剧从高贵的座椅，拖到平地上来，降低身份，因此欧里庇得斯成为写喜剧的阿里士托芬攻击的鹄；在我们，却以为他有此才值得尊敬。不只此，在对话上也有了新的改革，采用"三音步"短长节律的诗行，埃斯库罗斯所用诗行原只有十二个缀音，他把它加为十五个或十八个缀音，甚至把它由诗降到散文的地位，剧中的思想和动作也降到同样标准。关于所用演员的人数，更有大改革，不仅限于三个人，看剧的需要用多少便用多少。他是自然的忠实模仿者，开始把客观的批判现实精神引入悲剧。他所用的材料并非和埃斯库罗斯、索福克勒斯的完全不同，只是处理材料的方法大相差异，即使有用神祇或英雄的场合，也把他们当普通人处理，着重于性格描写，把神话像我们日常生活般地处理。他写男女的恋爱，企图改变伦理的意向，始创梦幻剧，发明了悲喜剧的新形式，初用Prologus（序曲）及Epilogus（尾声）说明剧的原委，歌咏队因之渐失作用；而典礼所关，不能即废，乃使为剧中人物，唯不能常用，仅用于剧间作歌舞。他为希腊舞台运用了写实的服装及对话和人物等，对戏剧的贡献，可说比前二人更大。他现存的作品十九篇（有说十七或十八），生平只得过五次首奖,其中一次还是在死后方获得的。主要作品十七部,为(1)*Alcestis*,(2)*Medeia*,(3)*Hippolytus*,(4)*Hecuba*,(5)*Andromacha*,(6)*Ion*,(7)*Suppliants*,(8)*Heraclidae*,(9)*Mad Heracles*,(10)*Iphigenia*,(11)*Troades*,(12)*Helene*,(13)*Phoinissai*,(14)*Electra*,(15)*Orestes*,(16)*Iphigenia at Aulis*,(17)*Bacchae*等。

前面已经提过他的作品的主人公不是神而是普通的男女,他对于人物的性格有敏锐的分析,尤其对于妇人,他的许多作品的主人公,大半是妇女,而且脱离了埃斯库罗斯以来的悲剧的束缚,写到母子间的感情、妇女的嫉妒,如《伊洪》(*Ion*)、《美狄亚》(*Medeia*),极像"近代剧",《伊洪》这一篇是将女子的憎与爱作为描写中心点的,完全脱离了旧悲剧的窠臼。她的忽惊忽喜的(Melodramatic)调子,在希腊戏剧中完全是新鲜的东西,它这影响导致后来希腊"新喜剧"的产生。《美狄亚》则描写妇女的嫉妒,同时写恶事必得恶报。欧里庇得斯以为善的生活就是美的生活,恶的生活就是危险的生活,做错了的事是常会引起危害的。欧里庇得斯的确较接近于我们,他的作品并没有较埃斯库罗斯、索福克勒斯的差,只是有时候情节上不免缠结不清,常在最后一幕插入一段神的事情来解决一切困难，似乎不甚好，而且这是不甚好的旧法。希腊的悲剧到欧里庇得斯，显示了将要衰败的征兆，也许是时势使然。贝里克时代过去，哲学推翻了宗教的基础，工商业的发达，也改变了国家制度的一切，悲剧代替过诗歌的时代，现在便轮到喜剧起而代悲剧的时代了。到此把悲剧搁起，再来叙述那新兴的戏剧。

悲剧代表了祭酒神的庄严静肃隆重典礼的一面，喜剧却代表了欢宴醉乐放浪形骸的一面。亚里士多德论戏剧起源，说悲剧起于迎神，喜剧起于村社祭神，可以说完全相同，即有差也无几。喜剧本称为Komoedia，意义是"村社之歌"（Komos），便是乡村宴饮的意思。希腊人最初每当春天葡萄收获时，就在乡间举行一种欢乐的表演，到后来才加入对狄奥尼索斯的春祭。祭神时在尊严的悲剧之外，有时也加入喜剧，歌唱队的歌声停止，团员穿了滑稽的服装，用轻松发笑的对话，使观众娱乐，喜剧由此发生。但这是祭典中附带的节目，比之悲剧的地位，喜剧连次要的还说不上，仅萌了喜剧的幼芽罢了；而它的任务，也不过是插科打诨，以为笑资，到后来渐趋成长，方与悲剧一样，也每年举行竞赛。

固然喜剧同样起源于祭典，我们却不能忽略两点值得注意的事，即：（1）为什么悲剧喜剧不同时蓬勃（喜剧在纪元前

470年左右始盛）？（2）由悲剧到喜剧的桥梁在哪里？我们不能不稍加以议论。

我以为关于第一，与当时的希波战争及政治经济制度的变异大有关联。民主主义初抬头，"贝里克时代"（465—459 B.C.）出现，这一政权需要代言人，卫护新政权、新制度的自由市民，也需要代表他们的意识的文艺。那一位参加过麦拉松（490 B.C.）、萨拉米斯（Salamis War，480 B.C.）两次大胜仗及忒拉契亚（Thracia，476 B.C.）战争的埃斯库罗斯，正适逢其会，用宗教的热情描写高尚的事情，悲剧的内容与形式也恰适合于当时的情势；而讽刺政教和习俗，调笑贵人和公民的喜剧，绝不会在那时成长，而尤其蓬勃的。

关于第二，宗教组织的基础因民主主义及哲学思想的发达而动摇，"贝里克时代"过去不久，这个盛极一时的建筑在奴隶制度的经济基础上之雅典国家，又为多年的劲敌斯巴达（Sparta）所败（斯巴达雅典战争为431—404 B.C.）。国势渐衰，人心浮动，所以欧里庇得斯的悲剧在内容和形式上都已不能保持过去那个样式了，也许有意地降低品格而描写平凡褴褛的人和事，更不自觉地渗进了喜剧的成分。这悲喜剧的雏形，便成为到喜剧之路的桥梁。保守的阿里士托芬虽尽量攻击讽刺欧里庇得斯，却又不自觉地继承了他处理事物的手法，由这一点可以证明，这实为时代精神、国家制度、社会意识所使然。

于是跟三大悲剧诗人一样，喜剧的伟大作者，阿里士托芬（Aristophanes，448—380 B.C.）便际会了相宜于他的天才的时机了。他的生活不能知道得详确，据说是纪元前446年（一说448 B.C.，一说451 B.C.）生在库达塞那翁（Kydathenaion）乡，他的父亲名斐力普（Philip），由他的剧中时常谈起乡村生活的乐趣，从而推断他童年时代多半消磨在雅典郊外。据说他的生活很富裕，因为他在阿其那（Aegina）岛上有不少土地，从而有说他的出生地就是阿其那，又有说不过后来去住过些时，是为了承继田产或接受官家分配的田产。据说他一生写了喜剧四十四部（有说五十四部），当中有四部在古代就发生了问题，不知是否他作，总之他的剧作生涯有四十年之久。传说他的第一部喜剧为《宴会》（*Banqueters*），于纪元前427年上演，得次奖，也许因为太年轻，缺少经验，没有照当日习惯亲导该剧之故。第二部喜剧为《巴比伦人》（*Babylonians*），纪元前426年上演于"城内酒神节"（City Dionysia），看那个节目里的观众有很多是由外邦跑来的，甚至有友邦使节在内。他还是抱着青年诗人常有的高压手段，于是被当时的群众领袖克勒翁（Cleon）控告侮辱雅典公民权（这条有人认为不确）。他常用他人名义发表东西,大致是为免惹政治的纠缠吧。他在纪元前380年死,最后的剧作为纪元前388年发表的《富神》,过后还替他的儿子阿拉洛斯写了两个剧本,想把他这儿子当作一个诗人介绍给雅典人。他共有三个儿子,长子承祖父名叫斐力普斯(Philippos),次子叫阿拉洛斯(Araros),第三子叫斐力特洛斯(Philitairos)或叫尼珂司托拉妥(Nicostratus)。诗人自己是个秃子,其他情形,不能知道。现存作品仅十一部,依年代顺序及内容性质可分列为三期:

第一期(425—420 B.C.)内容性质,极端放肆的讽刺剧,计有:

(1)《阿卡尼人》(*Acharnes*),此剧纪元前425年出演。

(2)《骑士》(*Hippes*),此剧纪元前424年出演。

(3)《云》(*Nephelai*)。

(4)《蜂》(*Sphekes*),此剧纪元前422年出演。

(5)《和平》(*Eirene*),此剧纪元前421年出演。

第二期(420—400 B.C.)内容性质,讽刺政治尚留若干余地的讽刺剧,计有:

(6)《鸟》(*Orinthes*),此剧纪元前414年出演。

(7)《里西斯特拉忒》(*Lysistrate*),此剧纪元前411年出演。

（8）《地母地女节》（*Thesmophoriazūsae*），此剧纪元前411年出演。

（9）《蛙》（*Batrochoi*），此剧纪元前405年出演。

第三期（400—388 B.C.）内容性质，没有个人的讽刺而有整体的讽刺的讽刺剧，计有：

（10）《女公民大会》（*Ecclesiazusai*），此剧纪元前392或389年出演。

（11）《富神》（*Plutos*），此剧纪元前388年出演。

以上所列，属于初期作品的，大都强烈地带有所谓"古喜剧"的调子，就是对政治社会予以露骨的讽刺；到后期渐趋缓和，接近所谓"中期喜剧"的调子，以华美而自由的诗风自成一家，不过如不熟悉雅典当时的社会状态，便难理解他的作品。

希腊的喜剧原可分古、中、近三期，阿里士托芬是古期喜剧的代表作者，旁的四十多位古喜剧家的作品，只遗下一些残诗和二百七十五个剧目。这些残诗还是经他人引用才留存下来的，剧目也不过是总数的一部分，就连阿里士托芬的作品也只留下了四之二三罢了。由旁人的残诗里，我们只得到一个论断，便是当时喜剧所采取的戏剧形式、装束、诗体、人物，所讽刺的对象和滑稽的观点，都大致相同；剧里大致都含一些猥亵成分，想是因为当时社会上情欲横流，崇拜邪教的反映；同时戏剧的根源——祭酒神的仪式，跟求生产繁荣和祈春情勃发有关，出发点是在于古代人的Phallicism（崇阳主义），Dithyrambos本就是"崇阳教曲"，所崇拜的Phallus神，便是崇拜狄奥尼索斯神的原型，淫猥的形体和言辞，自然在喜剧中保有，因为写喜剧的人都是自由思想者，不大有顾忌的心情和严肃的观念，任意描写，何况这淫猥还是当时的风习。

中期喜剧初起于纪元前400年左右，结构比古喜剧较为完整，所讽刺的多为古代神话和当时诗人，但是我们只有他们后来的间接知识，少许琐碎的断片，不能予我们以完整的观念，在此无法多加论述。

近期的所谓新喜剧，倒有一位代表作家米南德（Menander，342—291 B.C.），所作剧百数十种，可是留下的断片也只有六章，致同样无法详述。他是中期喜剧家，是以优于性格描写著称的阿勒克斯（Alexis，350—290 B.C.）的侄子，同时是哲学家爱匹格罗斯（Epikuros，341—270 B.C.）的好朋友，因之在他的作品中可找到其叔其友的思想和趣味。他的作品没有音调，但他的情节是模拟真实的生活，多用恋爱为题材，人物则有各式各样的人，有矜夸的，有愚蠢和懦弱的，如严父荡子、巧妇狡奴，世间所常有者尽有。新喜剧确实改变了以往的道路,描写人情,描写机诈。米南德明了戏剧技术,又了解人类,他的作品的影响,不只及于罗马的蒲拉图斯和泰伦斯,甚至及于近代的莫里哀和莎士比亚。

由此可以说,希腊的喜剧是赖阿里士托芬使其成长,米南德使其完成。假使说阿里士托芬在喜剧的领域上等于在悲剧领域上的埃斯库罗斯或索福克勒斯,那末米南德便等于欧里庇得斯。只是悲剧在欧里庇得斯之后即无嗣响,喜剧却传得很远。这并非是有幸和不幸,完全因为时代精神和国家的政治经济制度所使然。悲剧隆盛时喜剧不能隆盛,因为悲剧有国家提倡,有高贵富裕的贵族和自由市民支持;喜剧并没有这些助力,同时也就因此,喜剧较能反映几分非统治阶层的意识,接近于大众,更接近于后代。这是值得我们注意的。

二 罗 马

罗马的戏剧,如果说是完全继承模仿希腊的,也没有大错误,实在罗马人对这方面很少独创。那末你说罗马人没有豪情逸兴不欢喜娱乐吗?那又不大对,他们的兴致很高,甚至超过希腊人。不说别的,单就娱乐竞技场来说,就有三种:第一种是仿希腊建筑的剧场,专供演剧用;第二种是马戏场（Circus），建筑在阿文丁（Aventine）和柏拉丁（Palatine）两山之间的一片平地上，最初用徒步式，是模仿希腊的，后改为马匹战车竞赛的设计，这跑马场的四周都是观客台，经暴君尼罗（Nero）之手，扩充至可容二十五万人，到第四世纪时，又扩大至可容二十八万五千人，罗马人赛马车都在这里举行，男女都乐于此，往往帝王也参加；第三种是圆形剧场（Amphitheatre），这是希腊人所未知的东西，真正是罗马建筑的一大特色。该剧场的石头座位各排都由剧场中心的卵形表演场（The Oral Arena）起向上倾斜，著名的罗马市科罗萨姆大剧场（The Huge Colosseum），纪元后70年惠斯葩西安帝（Vespasianus）所创，到82年杜密善帝（Domitianus）完成，构造坚固壮大，为前史所未见，这场子是给角斗士与野兽角斗（Gladiatorial Combat）用的。罗马人是现实主义者，不大有艺术趣味，所以演剧不及赛车马、斗野兽发达，他们觉得演剧娱乐过于微妙，欣赏煞费脑力，倒是武装人士跟野兽搏斗来得有味，再进一步，裸人全身，缚之于树上，纵野兽撕了吃！以此为笑乐，政府往往强迫死囚及基督教徒去牺牲，使人民娱乐，罗马人有这样的"豪情逸兴"，这是值得前此与后此的人们瞠目结舌地惊佩的！

然而罗马并不是没有自己的戏剧，悲剧固然纯出于希腊，喜剧也受外来影响而发达，却自有本源，喜剧跟希腊一样起源于村社。原始喜剧是些神会曲，约有三种：（1）禁厌曲（Fescennine），（2）杂调曲（Satura），（3）阿脱兰曲（Fabulae Attellanæ）。罗马的原有诗歌只限于颂神歌和巴蓝特（Ballads），再加上这三种神会曲，便萌了戏剧的芽。

这不过是罗马戏剧的胚胎，完整的罗马戏剧，也可分为三期：到第一期——是介绍和抄袭希腊戏剧的时期；到第二期，为模仿希腊戏剧的时期。这两期的戏剧作家，都兼作悲喜二剧，到蒲拉图斯和伯珂维奥出才分开，但依然不脱希腊式的风格和口气。虽然他们也努力创作，力图避开希腊的旧窠臼而创作，但以后到泰伦斯，才能完全脱出这种拘束，而完成了希腊式的罗马喜剧。

虽说如是，罗马的戏剧始终无甚可观，尤其是后来更不行，因为异教思潮消沉，基督教的时代到来，一方面帝国本身腐败堕落，一方面新的一神教的倾向，自然摈斥起源于崇拜偶像的组织，这两种力量摧毁了稍具独创的规模而渐趋完成发展的罗马戏剧。因此，整个的罗马戏剧史上也找不到很多有作为的戏剧家来，比较最杰出的只能有三位，一位是纪元前三世纪的翁卜利亚的农夫蒲拉图斯；一位是纪元前二世纪的卡达几尼亚的奴隶泰伦斯；另一位是纪元前一世纪生于西班牙之嘉多华的一位哲学家之子辛尼加。

罗马真正的戏剧史，应说是开始于由他林敦俘虏过来的奴隶安特罗尼古（Livius Andronicus，282—204 B.C.）。他曾译荷马的《史诗》，开罗马诗歌之源，同样地编译希腊戏剧，使之上演，自己又亲自登台表演。他的成就虽没有什么了不起，开山祖师的位置是该让他占的。接下就该推同时的（纪元前三世纪）拉丁第一个诗人拿维奥斯（Naevius，272—204 B.C.），他在安特罗尼古之后不久，便开始写戏剧，直写到布匿克战争告终的时候。他作剧虽大半本于希腊的，或翻译或改作，但常出己意，混合二剧为一，时见独创之才，多取材于本土，建立了"历史剧"（Fabula praetexta）的基础。所作戏剧数不少，大致有悲剧七篇，喜剧三十四篇。现存的只是些断片，悲剧有*Alcestis*、*Danae*、*Hecter*、*Iphigenia*，喜剧有*Hariolus*、*Leontes*。他的性情好讽刺，也往往因此得祸，久久不改，终被流放，死于异域。拿维奥斯以后继起的剧作家有以史诗《年纪》著名的恩尼奥斯（Ennius，239—169B.C.），今存悲剧篇名计二十有二，多记古代Ilion事。他是师法欧里庇得斯的，思想上很多相同之处，对于神与人的关系，生死祸福诸问题，讨论很多。他跟欧里庇得斯一样抱着怀疑思想，例如断片中有说"世上或有神，但与人事无关，神如果有知，应使善人得福，恶人得祸，可是现在并不如此"。他又力斥巫师，说"巫师以富贵诈人，而得一金报酬"。不过有人说他的作品很艰深晦涩，体裁也失宜，还带多少蛮气，用"表现力"掩饰缺乏雅致，所以拉丁人造了一个谚语叫"恩尼奥斯的粪堆"（Destercore Ennii）。总之，这些初期的悲剧喜剧作者，仅留下一些断简残篇，不能给我们很多关于他们的特性。据大体看来，作品的文学性较重，偏于演讲式，而不能靠情节和动作的表现。就是后来辛尼加的作品，也是一样，只供阅读而不宜于上演的。

至于喜剧，便大不同，现在我们知道蒲拉图斯的东西就是很宜于舞台演出的。蒲拉图斯（Titus Maccius Plautus，254—184 B.C.）生于翁卜利亚（Umbria）的Sarsina，他的父母是自由市民，但家境贫寒。他便到罗马去做舞台的木匠，也扮演角色，因此赚到些钱，去为海外贸易商人，把所有资财都亏蚀了，弄到贫困无以自活，只得回罗马到烤饼匠那里推磨面粉，是否曾取得罗马公民的资格，至今还是问题。据说做磨工这个时期，他利用余暇作剧，以后又到舞台去做工，劳动之暇，更努力作喜剧，从此渐渐为世人所知，遂以作剧为专业。自纪元前224年到前184年所作剧本有一百三十部，据法罗（Varro）说其中大部分系伪托，真的只有二十一部，中世纪时失去一部，现存仅二十部。他的作风是仿希腊的近期喜剧，取材于Philemon和Manzanares，惯用希腊的人名地名；事实内容则杂以罗马风俗，也和近代的法国笑剧（Farce）相似，所叙多家庭社会两方面的琐事，不涉及政治，长于谐谑及性格描写，多用狡猾阴谋家、轻信的易欺者、愚蠢的父亲、浪费的纨绔子、嫉妒的丈夫、机警的奴隶及狠恶的商人等故事，为发笑的资料。他不似阿里士托芬的古喜剧，以及和他同时的人，不是一味讽刺个人或特殊的问题，他是直接描写关于人性和一般社会。他的作品有不可思议的魔力，爱读爱看的人很多，因为他能用锐利的眼光观察人类的愚昧，以会话而不以动作见长，将希腊的材料改换了面目，使它适合于罗马化，再加些动作，可是还能保留了希腊的精神。这便是他的杰出处，所以能在罗马戏剧史上获得卓绝的地位。现存的二十部作品如下：

（1）《安斐特罗》（*Amphitryon*）。

（2）《安西那利亚》（*Asinaria*）。

（3）《小瓶》（*Aulularia*）。

（4）《俘虏》（*Captivi*）。

（5）《古尔珂里奥》（*Curculio*）。

（6）《嘉西娜》（*Casina*）。

（7）《西斯特拉利亚》（*Cistellaria*）。

（8）《爱披提古斯》（*Epidicus*）。

（9）《巴古基德》（*Bacchides*）。

（10）《鬼屋》（*Mostellaria*）。

（11）《孪生弟兄》（*Menaechmi*）。

（12）《光荣的穆勒》（*Miles Gloriosus*）。

（13）《商人》（*Mercator*）。

（14）《索多鲁斯》（*Pseudolus*）。

（15）《波奴鲁士》（*Poenulus*）。

（16）《贝萨》（*Persa*）。

（17）《罗亭斯》（*Rudens*）。

（18）《斯第珂斯》（*Stichus*）。

（19）《特里奴模》（*Trinummus*）。

（20）《特鲁古兰图斯》（*Truculentus*）。

蒲拉图斯的作品魔力很大，据说后世的圣哲罗姆（St. Jerome）常藏于枕边秘密地耽读它；马丁·路德（Martin Lother）也读得不忍释手。我们可在他那里得到许多关于希腊新喜剧的知识，因为他剽窃模仿米南德的地方很多，像他的错误喜剧（Comedy of Errors）《孪生弟兄》，不只开辟了莎士比亚写错误喜剧的源，后世如莫里哀，从他的《安斐特罗》学得写成一部法国最流行的喜剧；屈莱顿、爱迪逊、莱辛等都曾从他的剧本中采用剧情和人物。

史德修（Caecilius Statius，220—166 B.C.）本为高卢（Gaul）人，生于米拉诺，年轻的时候被罗马俘虏，卖给贵族做奴隶，以后被解放为自由人，同恩尼奥斯友善，以喜剧得名，据说有四十部作品，其中有十六部和米南德的相同，现存仅断片三百余行，结构仿效希腊，较蒲拉图斯为缜密，也不大出己意造作，是由蒲拉图斯到泰伦斯的中介者。

泰伦斯（Publius Terentius Afer，195—159 B.C.）原系非洲血统，生于卡达几尼亚（Carthage），年幼时即被掠至罗马，为元老院议员泰伦斯·鲁加诺（Terentius Luco）家的奴隶。主人喜爱他聪明，便予以充分教育，旋得脱奴籍，所以承主人的姓，而加以Afer示区别。他的第一部作品《安特利亚》（*Andria*）大得史德修赞赏，纪元前166年上演于米加兰剧场（Megalensian Games），获得绝大的成功，使他在罗马社会上成为一时的红人。接着写成五戏，共为六部，现均存在（据说原有一百零八部）。计有：

（1）《安特利亚》（*Andria*）。

（2）《尤奴珂斯》（*Eunuchus*）。

（3）《自刑者》（*Heauton Timorumenos*）。

（4）《佛尔缪》（*Phormio*）。

（5）《希西拉》（*Hecyra*）。

（6）《两兄弟》（*Adelphoe*）。

在喜剧的力量上说，泰伦斯不及蒲拉图斯，因为泰伦斯的作品中没有蒲拉图斯那种流利的动作和辛辣的味道，也就是模仿得缺少生动性和自然性，不过结构谨严、整齐，文章流畅、透彻，对于人生却有更广大的观察，更多的反省，正如他自己在《自刑者》中所说的："我是一个人，我以为人间万物，无一不与我有缘。"他的描写过于谨慎，致不为一般民众所好，只能合有识者的嗜好，所以人们说："蒲拉图斯是实际的大众的创作家。"泰伦斯是恺撒所宠爱的文人，作品是纯粹的拉丁语和雅典的语法的代表者，他的剧词有许多成为后世常用的格言。

罗马喜剧到泰伦斯为登峰造极了，同时也就到此为止，究竟因为罗马人欢喜赛车马、斗野兽之类粗暴的娱乐而不能理解微妙的艺术，所以希腊式喜剧不能普遍流行；但也不能因之绝响，只好变换形式，罗马式的喜剧便产生。专搬演本国社会事情，卸去希腊的Pallium而衣罗马的Toga，由是一变Comoedia Palliata而成Comoedia Togata，结构简单，多用妇女为题材，状述乡村生活、市肆闲事，例如希腊式喜剧写奴隶率多智出主人之上，罗马式喜剧则反之。依罗马习俗，多写奴隶的愚昧无知，这就是所谓"世俗喜剧"（Comedy of Manners），都是不大文雅的东西，这时期虽也有些作家，作品大致无甚可取，况且到现在都已散佚，我们无法详论。

前面所提到过的"杂调曲"，到后来变为讽刺诗，"阿脱兰曲"也衍变为"默剧"（Pantomimus），而且这些默剧在罗马喜剧史上成为独特的东西。按"阿脱兰曲"产生于民间，渐渐传播到都会，起初即兴成辞，互相酬答，大抵是口语，没有篇章，后来文人们将它造作，又易文为诗，再下去变为"拟曲"（Mimus），就是希腊Mimos，从南意大利流入，用作演剧的余兴（Exodium）。阿脱兰曲多述乡民生活，拟曲多叙市井闲事，其中也像喜剧，有愚夫称Stupidus，但没有一定的角色，当时所演多恋爱事，涉及邪曲，实际上就是当时的滑稽讽刺喜剧，只是不像拟曲那样重歌词，而重在姿态罢了。这默剧大致可分三种：（1）没有音乐和说白，只有手势和舞蹈；（2）有手势并有器乐如铙钹、铜锣、牙板、响器和鼓等伴奏；（3）有手势并有音乐和说白。作者中最有名的是拉俾里奥（Laberius），他是武士出身，所作暗讽人事，指点人性，颇有可观，现存有断片。

拟曲积久生变而成默剧，只有姿态的模拟动作，而不用言辞，到罗马的喜剧，确已开始走创作的路。至于悲剧，完全仿希腊，始终脱不出旧范围；在台词上却有一特点，那就是把人物划分为若干类型，每一型附以特点，由作者自行选用。在这里还可举出几个作家，他们是装饰罗马戏剧史，使不致留着完全空白的人，如恩尼奥斯之甥巴库维（Pacuvius，220—130 B.C.）是剧作家，也是画家，他从恩尼奥斯学，写以希腊剧作蓝本的悲剧，所作不多，存篇目十二，文四百行。后起的阿契奥斯（Accius，170—86 B.C.）著作比较多，存剧目四十一，都取材于希腊传说，又有罗马史剧二篇，都已亡失。他的文辞庄重，适于作悲剧。从阿契奥斯后罗马悲剧遂衰，虽有西塞罗（Cicero）等仿作悲剧，不再可上诸舞台演出，仅供阅读罢了。悲剧到阿契奥斯就等于喜剧到泰伦斯，至盛极而衰的境地了。

直到尼罗时代有辛尼加（Seneca，4 B.C.—65），生于嘉多华（Cordova or Cordoba），是哲学家大辛尼加的儿子。他的母亲海尔维亚（Helvia）是一个贵族妇人，他的姊姊嫁给波里佑（Pollio），而波里佑做过十六年的埃及总督，因此辛尼加凭借着母家的势力，能在政界活动。他在年少时即在罗马，初奉毕塔戈拉派，后学于法皮纳（Fabiano）之门，奉斯多噶派，旅行过希腊、埃及。据说他是一个反复无常、气质不定的人，有时粗衣恶食，实行禁欲生活，有时阿权附势，贪财好利。在加利求拉（Caligula，37—41在位）御宇时代，他已是朝廷很有名的大臣，继被用于克劳得（Claudius，41—54）朝；不久皇帝听从皇后梅萨里娜（Messalina）的话，说他有参加谋叛嫌疑，把他放逐到各西加（Corsica）去，在外八年，后因皇帝的后妾阿克里宾娜（Agrippina）说情，受赦得归国。阿克里宾娜使他做皇子尼罗（Nero，54—68在位）的师傅，封他当裁判官。尼罗即帝位，他做督理，作了一篇《慈仁论》（*De Clementia*）劝诱尼罗，这时候他做了罗马实际的统治者，而且国内也确实称治。到尼罗晚年，渐变暴虐，对辛尼加的恩宠渐渐衰灭，他怕因之罹祸，便告病退休，晚年因参加丕索（Piso）谋叛，终受诏自杀。他除作哲学论数种外，有悲剧九部，以技术整齐见长，但不能激动观众，是些可读而不可演的作品，取材于希腊而自造作，和前人的编译不同，合思辨学派文章和斯多噶思想为一，致所叙如奥迪普斯及美狄亚等都极凶戾，以死亡为解决，随处显露忍苦慕死之风。虽然如是，辛尼加在戏剧史上却是重要的人，他是古代戏剧与近代戏剧的承前启后的人，有了他，使西洋人方能认识古典戏剧，因为他的作品，有很多翻译。据说辛尼加之后还有三十六位悲剧作家和一百五十出剧本出现，但在质上都不足称述。当时拉丁诗坛已趋颓废，剧坛亦不能例外，同有颓废的倾向，不说当时拉丁民众欢喜斗兽、斗人，即帝王也一样，极力提倡这种娱乐，恰和希腊时代提倡戏剧成对比。斗人方面据说自恺撒以来就有三百二十对力士同时决斗，奥古斯都一生曾斗过一万力士，图拉真于四个月内也有斗士一万人，观众如不表示矜怜，败者无不当场被杀，有时判决有罪的人被迫而相与搏斗，通常都由奴隶及战时俘虏决斗，每次战胜后总有一批俘虏被送往圆形剧场互相厮杀，以娱观众。君士坦丁一世，曾将全军俘虏，送往剧场搏斗娱乐，还说："还有何种胜利视此更为光荣呢？"

在这种情形之下，文明的微妙的戏剧，当然没有发展的可能，所以由希腊到罗马，戏剧没有什么进步，变异的只是把作为希腊剧之特色的"合唱"舍弃了。于是剧场里专为合唱使用的舞台（Orchestra）变成无用的东西，因之在那儿放置一些椅子，成为观众席的一部分。接着舞台由平地拉到上面来，在背壁（Proscenium）之前有很阔很深的地方。还有就是演员中有女子加入，在罗马早期还没有，后来才有坤伶，不过男女演员的地位都很低，不及希腊那样被人重视。一直到罗马帝国没落，戏剧只有每况愈下，愈无发展，因此我也没法再多加叙述，这一章只能就此惨淡地结束。

中篇　过渡期戏剧

三　中世纪文艺复兴期的欧洲

对于中世纪的戏剧史，似有两种看法：一是认为黑暗期无戏剧可言；一是认为黑暗期在戏剧方面并不黑暗。我的看法是属于后者。一般说戏剧自罗马的辛尼加之后就衰弱下去，中世纪八百年中至于熄灭得仅留一点点星火。这话自然也很有理由，在十六世纪以前，确没有伟大的剧作家和伟大的剧作产生，但是戏剧史上并没有空白。基督教权统治了整个欧洲，固然使戏剧不能蓬勃地发展；但从另一方面看，基督教却延续了戏剧的生命，遗留着星火，终至于燎原。

当时悲剧喜剧确是随着罗马衰亡而停滞，只能看到一些走江湖的班子在街头巷尾演滑稽剧。戏剧在中世纪走上沉寂之路，无疑的是受教权的抑压所致；但不久另外一种戏剧便出现于教会的内部，按理说这是矛盾现象，倒正好，戏剧也就由这矛盾发展而完成了它的统一。因为教会想利用戏剧宣传教义，又想利用戏剧娱乐，这行为可说是含有政治作用的，结果，意外地救了戏剧。和罗马人利用日耳曼人屯边充实国防，终被日耳曼人灭亡了罗马一样，反被戏剧完成了自己的发展。我是这样的看法，而也是颇有兴味的。

在这种情势下，必然地产生了戏剧的新形式，各式的宗教剧于是出现，而这些宗教剧也就是近代戏剧的母亲，不但不应鄙视，我们还应该珍视它！

这种宗教剧普遍地演出，大致在九、十世纪，而盛于十三、十四、十五世纪，终于十六世纪，那是被文艺复兴的浪潮冲荡去了。当时宗教剧的种类很多，名称也各异，一般地说，形式简陋、内容浅薄，但政治意义很重大，也许三位一体的基督教教权就靠这些宗教剧维系吧，我们可以这样说。始初这些剧所包含麻醉人民意识的毒素非常浓烈，可是因受时代精神激荡的关系，以致愈下去愈稀薄，而终至于被扬弃——由宗教剧蜕变了。

最初宗教剧的作者，大都是教会的僧侣，他们临时编制，由口头传授，并没有将剧本书写下来。同时也没有分幕或分场，在十一世纪的教堂中的圣坛上演，这圣坛就是舞台，舞台装置不消说是十分简陋的。恐怕是到了十二、十三世纪才正式把剧本书写下来。因之在这以前所演的剧,我们就很少看到,所以把戏剧史留下一段空白,实际上这空白仍可以由演剧的事实来填补的。可以确确实实地断定演剧在中世纪并未间断,不只教会的各种节目,就是平时也以此娱乐民众,而企图起教化、启迪、宣传、组织作用。他们的整个目的是教训聚集于教堂的信徒们,所以由僧侣自己帮助合唱队演圣书中的种种场面,例如12月28日的"无罪者祭日",穿白衣的少年合唱队排着行列;在行列前面有一头羊,他们环绕着教堂走着,接着座上的希律王(Herodes)发一声号令,把这些少年都杀了,这便是所谓无辜的屠杀(Slaughter of the Innocent),然后一个天使引导着他们进天国,由阶段一级一级上升,进入合唱队之中,一同唱 *Te Deum*(感谢歌)。演剧完全在教会的僧侣支配之下,作为宗教仪式之一。剧本的范围自然也只限于这个,便是最初正式书写下来的,也还没有分幕分场,情节也极简单。用的文字都是拉丁文,这只限于高等而博学的僧侣才能办到,当然为数不多。后来感觉拉丁文不通俗,情节简单,渐觉不够动人,当然产生一段发展。到了各民族用各种语言编剧,情节也渐趋复杂,跟着有圣坛太小不便于演复杂内容的剧本之感,从此不得不由教会解放出来。约在十二世纪的时候,戏剧便离开了神龛，移到教堂的大门前，甚至移到街上了。也就因此，演员不一定是僧侣，一般民众也可以参加，演剧本身也渐至于不只是宗教礼拜的仪式。这一段飞跃的进展，是中世纪戏剧史上极有意义的事，所以在中世纪除宗教剧之外，能产生世俗剧的原因也在此。

实际上世俗剧仍是由宗教剧派生出来的东西，因宗教剧的内容和形式单调简陋，戏剧由教堂解放到街上进入广大的群众中，日子久了，这种简单的东西，自然不为群众所好。况且当时观剧之风又盛，卡尔·门戚斯（Karl Mantzius）说："在一个中古时代的城市里演剧是一件万人空巷的盛事，地方官告示各商店闭户，一切有嘈杂声音的工作都得停止，家家的大门上了锁，街上静悄悄地，只有巡查兵来回地巡逻——所有的人都到公众方场去了。"由这一段记载，便可想见。再则十字军之后的欧洲，民智已大启，思想不能为宗教所囿，自然需要有新形态产生，世俗剧之多之盛不是无因的。

世俗剧（Secular Plays）恰与宗教剧（Mystery or Miracle Plays）对立，是非教会中人所干的玩意儿，大致有数种：（1）狂欢剧（Carnival Plays），以描写食色为主；（2）幕间剧（Interlude），幽默的短篇，剧间的插剧；（3）笑剧（Farce）；（4）傀儡剧（Puppet Show）；（5）节令剧（Feast），用于教会，甚至异教的节日。总之，由宗教剧移到世俗剧，是戏剧内容和形式的跃进。教会想用戏剧教训人，反而被戏剧攻击的事实，就在这世纪的后半期出现，尤其是十字军失败之后，文艺复兴和宗教改革的浪潮将要到来之前。

宗教剧最盛行的首推法国，汇集了的十二、十三世纪的作品，有十九巨册之多，其他如意大利、西班牙、德意志、英吉利都盛行过，尤其英国普遍，世俗剧自然更盛行，所以结果打倒了宗教剧。用一句老话说，便是"时势使然"，关于这方面的叙述，便在此止，以下叙各国伟大的剧作家和剧本。

当宗教剧奄奄一息的时候，正是十四、十五世纪文艺复兴的时候。这里我先说文艺复兴的策源地意大利，古典剧本如蒲拉图斯、泰伦斯、辛尼加的作品在意大利发现，翻译啦，仿作啦，流行一时，复兴戏剧的首功当然推意大利。悲剧仿作最初用拉丁文写，后用意大利文。这类剧大都在教皇或王侯贵族之前演出，不惜费用，只求场面好看，也只在华丽方面下功夫，台词冗长，动作太少，合唱队的教训又枯燥无味，缺点极多。他们标榜古典，却徒有形式而无内容，像这样的东西，是不大起作用的。到喜剧发现之后，戏剧才有大发展，虽说这发展依然是赖有教养文雅的宫廷中人来爱护提倡。论剧本，几世纪中不下数千个，不过总是千篇一律，都是些描写琐碎事件和偷香窃玉类不文雅的趣事。西蒙士说："……女孩们被保姆教坏了，沾染尼庵的恶习，家里的马夫或仆人敢向她们求婚，被女管家套上了圈套，甚至被母亲教坏了，因此嫁了丈夫又想跟邻家子私通……"有了这评语，我就不必再举例了。

这自然是受了罗马滑稽剧的影响，因为当时的剧作家以模仿为能事。我们认为真正代表意大利的第一个剧作家，可说是玻力珊诺（Poliziano，1454—1494），他的名作 *Orphens* 虽系十日作成，却是诗句美妙，情节动人，可说为前此所未见的。

这时期意大利最有声望的剧作家有以下几个：

马基佛里（Machiavelli，1469—1527）是政治学者、历史家，他的讨论政治的《帝王论》（*Il Principle*）极有名。在喜剧方面，留到现在的有两篇：一为 *Mandragola*，一为 *Clizia*，都以蒲拉图斯的作品为根据。马基佛里认为当时的社会根本是自私下贱贪婪所交织成的，他的作品告诉我们当时的社会形态。

阿里斯多（L.Ariosto，1474—1538）的诗极有名，那一篇历七年始成的咏武士的诗《奥兰多的狂怒》（*Orlando Furioso*），使他得以不朽。他写了五篇喜剧：*Cassariain*、*I Suppositi*、*Negromante*、*La Lena*、*La Scolastica*。据白琳嘉（Bellinger）的《戏剧简史》（*A Short History of the Drama*）说："现存阿里斯多的喜剧五篇，其中四篇是叙述一无赖的仆

人利用主人的恋爱事件而诈取金钱的；另一篇也是说一个仆人想法使他的主人同时娶两位太太，剧中颇多新发明，作风也好。*I Suppositi* 根据《孪生弟兄》（蒲拉图斯作）而作，是莎士比亚的《错误姻缘》所依据者。据传说为演 *I Suppositi*，教皇里奥在罗马特地建造一个可容二千人的大剧场，布景是拉斐尔画的，演的那一天教皇自己坐在门口向来观者祝福。"可见阿里斯多的作品的号召力之大。

这时喜剧作家辈出，有名者不下十数，但名贵之作太少，在此只举出一位写诗、写悲剧也写喜剧的阿勒梯诺（Aretino，1492—1556），他并无学问，但有非常的才能。他讽刺激烈，行为放纵，曾谤法皇 Clemens Ⅶ，一时被监禁，但他是有名的作家，能交结各处的王侯，代表作是悲剧 *La Orazia*。意大利戏剧到阿勒梯诺，算是隆盛之至，但也糜烂之至，而且总脱不出模仿和千篇一律的弊病。

此外，可叙述的还有两种戏剧，便是（1）即兴喜剧，（2）牧歌剧。这可以说是中世纪意大利戏剧史上有特殊风格的东西。

即兴喜剧（Commedia dell'Arte），这名词是指没有剧本而又随编随演的意思。它是国民戏剧，又因常有用假面，所以通称假面剧（Masque），在意大利流行了几百年，尤其是

十六、十七世纪最盛。其处理方法有点像我国的"文明戏"，但也许比较慎重点，预先选定题材，派定角色，剧中情节的安排及剧中人物的关系都定了大纲，甚至分幕分场及剧情的转变等等都先有一个通盘的计划，然后根据这大纲（Scenario）搬演，其他就全靠演员的才能去随机应变地加以饰演。据门戚斯说："演员必须找到适当的字来使观众流泪或发笑，必须把握住其他演员的科诨而对答如流，对话必须像赛球斗剑一样，脚来拳去地不能中断。"这样须有特别的才能和经验才行，欧洲之有职业演员便由此始。这种即兴喜剧在情节上较从前的戏剧固多变化，但内容无甚可取，不过插科打诨，无理取闹，耍把戏，显绝技，脱出戏剧文学的范围了。至于用假面，那是因为剧中人物发展到定型，一剧之中总不外乎那么些个典型的人物之故，同时假面的渊源和希腊的喜剧相同，都出于酒神狄奥尼索斯祭，初用酒滓涂面，后转为面具。即兴喜剧虽不足取，给后来的戏剧的影响却不小，就是在于塑造了一些典型人物，据白琳嘉说："所有人物都有一定的服装，一定的手势，以能逗引观众发笑为目的，某一角色甚至有一定的台词……这些典型人物在欧洲的舞台上享有几世纪的盛名，其重要性在于影响将来的大戏剧家，从名字上可以看出已经有点儿莎士比亚喜剧的气息，莫里哀从这些意大利喜剧中得到很多帮助。霍尔勃（Holberg，1684—1754，丹麦喜剧鼻祖）将这些喜剧传到丹麦，是以后浪漫戏剧发生的一个重要分子。"

牧歌剧（Pastoral Drama），这是描写田园风景和牧人生活的剧，跟悲剧喜剧都不同，是抒情诗的戏剧，大致渊源于希腊的牧歌（Idyls）。意大利的山景优美，气候温和，乡村生活恬静，牧人农人风俗素朴，在在足以酝酿诗的想象，所以有牧歌剧产生。生于拿泊里的诗人萨纳沙洛（Sannazaro，1458—1530），写过 *Arcadia*，有牧人对唱的牧歌（Eclogues）。这诗影响到剧坛，接着产生了牧歌剧，也影响到英国的锡德尼、莎士比亚、开茨等诗人的作品。在意大利，牧歌剧的第一个作家可推毕加里（Beccari，1510—1590），真正完美的剧本却是泰索（Tasso，1544—1595）所写的 *Amina*，不只情节动人，具有美丽的音乐、服装，诗情芳馨、柔和。后又有加列尼（Guarini，1537—1612）作了 *Pastor Fids* 一剧，1585年排演于都林（Turin），大获成功。此剧中每幕都佐以音乐，使剧中音乐的要素加重，遂开意大利歌剧的先声，另一方面不幸得很，田园思想、浪漫情绪传染遍了欧洲。

叙过意大利，接下该说法国，但不只法国，即德国的戏剧也一样，在十六世纪之前，都无甚可说的，故均从略。便一跃而到西班牙，最后以英国为此章之殿，好戏在后头，一位莎士比亚，就够我们饱餐一顿，其他各国便全是空白也不要紧。好了，先说西班牙吧!

戏剧在中世纪的西班牙，不管城市乡村，都很盛行。至于戏剧在文学上有所成就，那得数到十五世纪初头，诗人孟里克（Gómez Manrique，1412—1491）出，始手写了几个剧本。据说伊莎倍拉（Isabell）公主未登位时，还亲自演过他的剧。接着就在这伊莎倍拉女王（1474—1504在位）时代，产生了一位大作家安西那（Juan del Encina，1468—1534）。他是一位抒情诗人，而又是伟大的乐歌作家。西班牙人曾承认他是戏剧的总主教，他的初期作品有两种，在1492年公演过。作品中最好的是宗教剧*Plácidai y Victoriano*；又写了一些通俗滑稽剧，在民间流行很久，中有一篇*Aucto del Repelón*写学生和牧童的，动作极活跃。

此后西班牙戏剧的黄金时代来了，名剧作家辈出，以下分叙其最著者：

奈哈罗（Torres Naharro）是维辛提（Vicente）同时的人，在十六世纪后半期极活跃，曾为兵士，被俘获之后，才开始作文，1517年出版戏剧集*Propaladia*，初期作品有些模仿安西那，富于戏剧技巧，能运用戏剧的原则。他不只是剧作家，又是西班牙第一个戏剧批评家，他在那戏剧集的序文中，创造了几条写剧原则,主张一剧不应限定三四幕,可以分作五幕;又对当时舞台上限制出现人物少不得过六人、多不得过十二人的惯例,他敢于违反。他深明最初时代的喜剧,是包括各阶级人物的,故他的生活描写是多方面的,取材也包括各级社会的生活;不过他太偏重写实主义,主张舞台上的搬演人物,各国人可说各国的方言,遂使舞台混乱,戏剧失去统一性。克莱(J.F.Kelly)说:"奈哈罗是西班牙第一个剧作家,他实现了他的人格,他创造了舞台上的人物,他是第一个晓得布局,晓得利用事物的变化以增加动作的兴趣,他晓得琢磨角色和在可能范围内集中了他的全力,他会在幕前观察舞台的效力。总而言之,奈哈罗明了戏剧,他明了戏剧的能力和娱乐法。"

寇华(Juan de la Cueva,1543—1612)是西班牙戏剧革命者,对于戏剧艺术的原则有独特的见解,在所著 *Ejemplar Poético* 里说了许多理论。他不赞成应用规则声明,对以前西班牙戏剧上的一切事物都不表赞同,把古人认为神圣不可侵犯的规例抛开,把一出的幕数由五幕改至四幕;又在音韵和诗句的格式上尽量增加变化,采用民间传说为题材,建设了舞台上的历史剧,作了像讲查理第五(Charles V)出征意大利故事的 *Saco de Roma y Muerte* 等。他影响维加及后来的浪漫主义很大。现略而不赞,还是看西班牙两个最伟大的人——塞万提斯和维加吧。

塞万提斯（Cervantes，1547—1616）是世界名著《堂吉诃德》的作者，在此只说他关于戏剧的工作。他很喜欢写剧本，固然没有写出了不起的作品。他自1583年到1607年，一直在写剧本，三十个剧本中，比较好而残存着的有 *Trato de Argel*、*La Numancia*，后者为他1583年所作，完全是古典形式的。

维加（Lope de Vega，1562—1635）生于马德里一个穷苦的贵族家里，1581年参加远征，五年之后被放逐离开首府，暂告隐退。后入"无敌舰队"（当时英伊利莎白女皇反对伊思巴尼亚主斐力普二世的政略，援助荷兰独立，又侵西印度，于是西班牙遣此无敌舰队攻英，1588年两个舰队战于英吉利海峡，但无敌舰队被歼，西班牙势力从此衰退），旋归，1590年出仕，也就在这一年和塞万提斯母亲的远戚乌宾娜（Isabel de Urbina）结婚。他一生有许多爱恋事，有人说他的行为很邪僻，时常忏悔，却不能避免肉体的引诱，终于沉沦；又有人说他中年时受到两重大刺激，便是儿子的夭亡和女儿的淫奔，而且也是他的邪行的报应。1614年曾入僧籍。他是西班牙国民剧的完成者，被人称为"天才的不死鸟"，塞万提斯评为"自然界的怪物"，多才艺，且早熟。十三岁时即著作，在诗、小说、戏剧上都显示可惊异的才能。剧本全是韵文。著作中

有叙事诗 *La Dragontea*，这是1598年所作，写英国海贼Francis Drake的武勇故事，全书充满民族精神。长诗 *El Isidro*，系1599年作，写马德里市守护者圣伊西德罗的生涯。还有《安杰里卡的美貌》(*La Hermosura de Angélica*，1602)、《被征服了的耶路撒冷》(*Jerusalén Conquistada*，1609)、《阿波罗的荣光》(*El Laurel de Apolo*，1630)等，此外尚有述说他自己的放浪生涯的《独语》(*Soliloquios*)。散文作品有《在日本诸洲的信仰之胜利》(*Triunfo de la fe en los reinos del Japón*，1612)及自传体小说 *La Dorotea*(1632)等，述他的演剧论的有《作剧新法》(*Arte nuevo de hacer Comedias*，1609)。剧作之多，大可惊人，恐为世界古今来第一人，约写过一千八百篇，中约四百篇圣秘剧(*Auto Sacramental*)。现存作品约四百七十篇，其杰作为《奥尔梅特的绅士》(*El Caballero de Olmedo*)、《福脱奥维约那》(*Fuente Ove Juna*)、《赛维尔的明星》(*La Estrella de Sevilla*)等。他的初期最好的剧本是 *El Acero de Madrid*，悲剧里最好的是 *El Castigo Sin Venganza*，历史剧里最好的是 *El mejor alcalde*、*El Rey*。当时西班牙剧本普遍都为五幕的，他反之采用三幕的形式。他的剧本语句幽默，韵律新鲜，动作丰富，且包含当时国人的一切类型，如实地描写习惯和地方色彩。

谈过了维加和西班牙的戏剧，进而谈英国。

中世纪的英国戏剧就很隆盛，其源自然不例外，也出于宗教剧。到十三世纪，演剧便由教会移到基尔特（Guild），每一行都有保护神，每年祭日必演他的毕生行业，例如锡匠演《上帝创人》（*God Creating Man*），造船匠有《诺亚和阿克船》（*Noah and the Ark*）等，大都以大车为舞台，游行市中表演，称为户外剧（Pageant）。十五世纪时譬喻盛行，于是转入戏剧，饰善恶为角色，以教道德，便生道德剧（Morality）；又因此种剧枯索无味，则假Vice演为滑稽行动以助兴趣，接着复引申而别成一节插在剧间，名幕间剧（Interlude）。在这一种剧上便产生了一位能手，就是海·乌德（John Hey Wood，1575—1648），是所谓大学才人（University Wits）之一。他曾在剑桥大学念书，一直到1596年为止，都在写剧本，其他如史诗*Troya Britanica*，也有名。1598年起当演员。现存他的戏剧有二十四篇，其中以家庭剧《和蔼杀人》（*A Woman Killed with Kindness*，1607）为最佳，这也是英国的第一本家庭悲剧。这时期的英国喜剧倒没有什么了不起的东西，悲剧方面倒有独创的新形式出现，却有一位基德值得一叙。

基德（Thomas Kyd，1558—1594）生于伦敦一个代书人之家，以写血腥的复仇悲剧《西班牙悲剧》（*The Spanish*

Tragedy）得名。此作约在1587年演出，1592年刊行，可是发现他了不起，却在1773年。实际上他是和马洛很接近，从1590年到1593年，这两位剧作家都服役于同一贵人处，也就因此，竟使基德遭遇不幸。政府正因那贵人信奉邪教将其加以逮捕，在马洛的房中搜获了几张基德的文稿，因此基德的寓所也被搜查，而他本人也被捕入狱，遭受刑罚。马洛死后，他随即被释放，但再也不能恢复从前的地位了，不久即贫困而死。

两个以西班牙将军希洛米茂（Hieronimo）为主题的剧本，是基德的"丰裕可惊的天才"的仅有的作品。《西班牙悲剧》中应有尽有——鬼、疯狂、凶杀、自戕——以震动当时爱好刺激的观众，无疑的这个剧本对于当时的作家发生了相当的影响，莎翁批评家甚至承认莎翁在《哈姆雷特》中的若干结构，是要归功于基德的流血的悲剧的。

英国的戏剧过于热闹，为篇幅所限，不能详述。现在只想选最盛的时期——伊利莎白女王朝（Elizabeth，1558—1603在位）中最重要的两位伟大剧作家——马洛和莎士比亚来谈谈，尤其莎翁是世界的瑰宝，我也即以他为此章的压轴。

马洛（Christopher Marlowe，1564—1593）生于坎特布里（Canterbury），是一个皮鞋匠的儿子，比莎翁早生几礼拜，是莎翁的直接前导者。在剑桥大学班尼脱学院（Benet

College）读书，得奖金，1583年得学士位，1587年得硕士位。他的伟大悲剧在这以前即已上演且获得声誉，出了学校便到伦敦去，为某Admiral的团体写作。这时候他已是一个无神论者，愤世嫉俗，正如斯文朋（Swinburne，1837—1909）所说："儿童之年，成人之才，神祇之志。"（A baby in years, a man in genius, a god in ambition.）这样的人，可惜天不假年，于1593年在迪脱福（Deptford）一个酒店里，为了一个女人和人吵架而被打死了。他在生活上是个自由人，他的性格可说是文艺复兴时期之典型的人物，非常强健的。当时流行的恋爱抒情诗十四行牧歌的故事等，他一概不写，独写了诗一篇（*Hero and Leader*未完，*Chapman*续成）和六个悲剧，著名者为《汤柏伦》（*Tamburlaine the Great*，1590）、《浮士德博士》（*Dr. Faustus*，1588）、《马耳他的犹太人》（*The Jew of Malta*，1589）、《爱德华二世》（*Edward II*，1593）。他给予后来的悲剧影响很大，最大的功绩是将悲剧的兴趣聚集于中心人物的周围而构成，自由地使用无韵诗（Blank Verse）的形式。他的《汤柏伦》是历史剧，分上下两部，因上部很成功，才续写第二部，描写汤柏伦后来的胜利以及因病郁郁而死。

马洛的作品虽不多，但在质上及影响上说确是伟大的。正如白琳嘉所说:"他建立起一个戏剧的标准,在他以前英国没有伟大的重要的剧本,在他以后以他的作品为模范,才产生出伟大的英国戏剧。"

莎士比亚(William Shakespeare, 1564—1616)生于离伦敦八英里约两千居民的阿冯河畔的斯托拉福(Stratford on Avon)。他的父亲约翰是一个农人兼做杂谷、杂货、肉类、皮货的商人,他的母亲是曼丽(Mary Arden)。一共生四子四女,莎翁排行第三,在男的方面说他是长子。生于4月23日,死也是4月23日,人们认为奇特。有些人怀疑莎翁的存在,说不过是培根(Bacon)的笔名,实在没有什么确凿的证据,不必相信。莎翁恐怕在七岁时候读小学,学拉丁文,所以学习过泰伦斯、贺拉西、奥维特、西塞罗的东西,但因家计困难,十三岁左右辍学从商。1582年跟年长于他十八岁的农家女郎安尼·赫忒维(Anne Hathaway)结婚,翌年生一女,两年后获双生子。好像婚姻生活并不幸福,他离开家族和乡里,1585年或1586年到伦敦去。这时候伊利莎白女王即位已有二十八年,伦敦已渐见繁荣。英国最早的剧院是在1576年由James Burbage建立的"剧场"(The Theatre)。莎翁跟剧院发生关系,大概在二十九岁(1593)以后,当初不过是干些打杂的勾当;据说他曾在门口替人拉马,后来这种事雇些小孩子干,这些孩子便称"莎士比亚孩子"。后来莎翁由打杂而为演员、剧作家,但另一批人很瞧不起他,嫌他的出身是低微的打杂。他开始写诗也很早,1593年、1594年写过献给苏塔登伯爵(Earl of Southampton)的两首诗:*Venus and Adonis*和*The Rape of Lucrece*及其他十四行诗。最初当演员是在一位大臣组织的团体里,出演于"剧场",后演出于克登(The Curtain)。1599年"地球剧场"(The Globe Theatre)新建,他就是个大股东,变成有身份的人了,从此钱多起来,产业也渐增加。到1601年,他的父亲约翰逝世,母亲则活到1608年。莎翁主要的活动时期是在伊利莎白女王时代。1603年女王驾崩,变为詹姆斯一世(James Ⅰ,1603—1625在位)朝,他所属的剧团也变成王立的了,于是他便离剧界,隐退归乡里(1607或1608),赖过去所买的田地房产,度他安静的晚年,一直至去世,葬在斯托拉福的教堂里。他写过一百五十四篇十四行诗(Sonnet),表现他某一时期的私生活,为后世人所推崇;一生所写的剧本,依据陶典教授(Prof. Dowden),分为试作、成功、深刻、圆熟四期,即:

第一试作期(1590—1596):

(1)《安特罗尼克》(*Titus Andronicus*)。

(2)《亨利第六》(*Henry Ⅵ*)(系三部)。

（3）《爱恋的徒劳》（*Love's Labour's Lost*）。

（4）《错误姻缘》（*The Comedy of Errors*）。

（5）《佛罗那两绅士》（*Two Gentlemen of Verona*）。

（6）《仲夏夜之梦》（*A Midsummer Night's Dream*）。

（7）《理查第三》（*Richard III*）。

（8）《罗密欧与朱丽叶》（*Romeo and Juliet*）。

（9）《理查第二》（*Richard II*）。

（10）《约翰王》（*King John*）。

（11）《威尼斯商人》（*Merchant of Venice*）。

第二成功期（1597—1600）：

（12）《亨利第四》（*Henry IV*）。

（13）《亨利第五》（*Henry V*）。

（14）《驯悍记》（*Taming of the Shrew*）。

（15）《温特沙的快乐太太们》（*Merry Wives of Windsor*）。

（16）《无事忙》（*Much Ado About Nothing*）。

（17）《如愿》（*As You Like It*）。

（18）《第十二夜》（*Twelfth Night*）。

第三深刻期（1601—1608）：

（19）《结果好的一切都好》（*All's Well that Ends Well*）。

（20）《以尺报尺》（*Measure for Measure*）。

（21）《屈罗劳和克勒西特》（*Troilus and Cressida*）。

（22）《凯撒大将》（*Julius Caesar*）。

（23）《哈姆雷特》（*Hamlet*）。

（24）《奥塞罗》（*Othello*）。

（25）《麦克白斯》（*Macbeth*）。

（26）《李尔王》（*King Lear*）。

（27）《安东尼和克勒奥佩脱拉》（*Antony and Cleopatra*）。

（28）《高廖里诺斯》（*Coriolanus*）。

（29）《雅典的塔伊孟》（*Timon of Athens*）。

第四圆熟期（1608—1613）：

（30）《贝里克》（*Pericles*）。

（31）《辛伯林》（*Cymbeline*）。

（32）《暴风雨》（*The Tempest*）。

（33）《冬天的故事》（*Winter's Tale*）。

（34）《亨利第八》（*Henry VIII*）。

（35）《两位高贵的亲戚》（*Two Noble Kinsman*）。

莎翁所作剧为三十五篇，一说三十七篇（《亨利第六》即三部），《亨利第八》系未完成之作，后期的《哈姆雷特》《奥塞罗》《麦克白斯》《李尔王》为最有名的"莎翁四大悲剧"。

伟大的莎士比亚已成为世界的珍宝，关于他的伟大处，在此略而不赘，因为现今有不少专门研究莎翁的著作，还是希望到那些上面去寻求。实在莎翁的伟大深邃，不是三言两语可以说得了的。

下篇 近代期戏剧

四 意大利

意大利文学的黄金时代很快就过去,到了十六世纪末便趋衰颓,十七世纪又受军事、政治、经济上的影响,可说至于停顿,直到十八世纪中叶,渐见复苏,十九世纪又有起色,但在质上量上都不如前了。

我们知道在十五、十六世纪的文艺复兴就像大海的海啸,汹涌的波涛淹及整个欧洲,到处开出鲜丽的花朵,灿烂辉煌为文艺史上空前绝后的景象。可是经过了宗教改革运动,一踏入十七世纪,这高潮便陷落。换句话说,这文艺复兴失去了后劲,微波暗浪形成了毫无生气的古典主义(Classicism),这思潮便支配了十七、十八世纪。尤其是十八世纪的欧洲,虽说古典主义思潮最盛的地域是法兰西,并不是意大利,可是渊源还得数意大利。所谓Classic原是罗马语,含义是"高级的""第一流",在罗马专用以表示"富豪"的意义,旋被应用到文艺上去,指高级的作家及其作品了;同时罗马人提及Classic,便以为指希腊文学,自西塞罗和味吉尔两人离开本国,这名词又跟着到国外去,于是有罗马文学的Classic了;接着通过长期的中世纪,文艺复兴以后,这似乎都是指罗马文学,后来这字变为"有权威的古代作品"之意。从此古典主义者便以古代的有权威作品为模范,极仿效之能事,一味尊重古文学格调、体裁,在理智的范围内雕琢美词丽句,既没有热烈的感情的表现,又没有奔放的想象的活跃。文人弄才逞巧,以博文名,机智小巧,风靡一时,这条路越走越狭,终走进了牛角尖,陷进了形式的泥沼,古典主义便变成了假古典主义(Pseudo classic)。本来古典主义已经是拟古主义,后来的不只拟,简直是拟拟古主义,真的是"每况愈下"。意大利因为是文艺复兴的首发难者,先走进牛角尖的自然也是它,同时精力已在先前用尽,所以在古典主义这一阶段的表现也显得无力,倒不如英法等国之热闹,这和地中海的商业霸权失坠是联系着的。十六世纪末便是办移交手续的时候,再加上十七世纪前半期各国的三十年战争——这以新教徒叛乱为中心而掺入利害关系国家野心的战争,不只让意大利文学停蹶,他国文学也没有光焰了。

但往往有些人论到意大利文学在十六世纪末便一落千丈，仅归罪于古典主义，我觉得这只是片面的理由，如把上面所说的理由加上去，也许较为合理点。要知道文艺复兴已使各国脱出了教权的束缚，照理可以为所欲为，可是新的形势不一定有利，到这时候教会自身也抛弃了零落的旧主人贵族阶级而变为供新主人资产阶级的御用宗教了；同时经济的力量可以摆布一切，移卸了商业霸权的意大利，如何能继续过去的光荣？况且国内四分五裂，连年战争，文学的停顿期当然到来。

到十六世纪，意大利的演剧舞台开始移到宫廷或寺院的大殿，职业演员、女优、戏院都出现，可以随时演戏，戏剧从此变成私人经营或赚钱的事业。到了十七世纪，是政治和军事上奋斗的一段时期，西班牙的势力统治了全国，一般文人处处受钳制，各方面都不能有发展，戏剧事业也未达稳定。在这时期中，意大利无特出的剧作者或作品，勉强可以提出说的只有一位安达里尼（G.Andreini，1578—1650），著了一剧名《亚当》（*Adam*），据说后来英国的大诗人米尔顿的《失乐园》一诗，即根据此剧而作的。迨十八世纪，西班牙势力已去，意大利恢复政治上的地位，过去的所谓"即兴剧"渐衰，戏剧走上了正轨，作家因之辈出，尤其在这时期值得一提的是歌剧。

在文艺复兴时期，意大利有几位文艺家想把古希腊的戏剧复兴，因此歌剧（Opera）应运而生。当时努力于歌剧新生运动的可以分三派：佛罗棱斯派、威尼斯派、拿泊里派。从十七世纪到十八世纪中叶开始有佛罗棱斯的乐剧复兴运动，其次有威尼斯的歌剧运动（改进的），最后有拿泊里的歌剧革新运动，三者合成欧洲歌剧勃兴之一大势力。从此时起，意大利歌剧即开始向欧洲大陆各国发展流传出去了。

威尼斯的大音乐家蒙特威蒂（C.Monteverdi，1567—1643）于1607年作了一本 *Orfeo* 歌剧，极受观众欢迎，建立了近代歌剧的基础。迄十八世纪初期，拿泊里产生了一位伟大的歌剧作家司卡拉谛（A.Scarlatti，1660—1725），作歌剧一百五十种，宗教乐曲二百种，为拿泊里乐派之祖，作品如 *La Rosmene*、*Teodora*、*Tigrane* 等都很著名，意大利歌剧自他起，得到"美歌"的雅号。在十八世纪极盛，不久衰落。到十九世纪初期，韦尔谛（G.Verdi，1813—1901）在歌剧里剔除一切无谓的修饰，专致力于真实的表现，于是意大利歌剧又开了灿烂的花。继起者有浦威尼（G.Puccini，1858—1924），作品注重实际生活，属写实派，代表作如《薄汉命》（*La Bohème*）、《曼侬拉斯加》（*Manon Lescaut*）、《托斯加》（*Tosca*）、《蝴蝶夫人》（*Madam Butterfly*）等，都是写社会间常见的事实。浦威尼后有马卡尼（P.Mascagni，1863—1945），代表作为《乡村骑士》(*Cavalleria Rusticana*)；李奥加洛（R.Leoncavello，1857—1919），代表作为《漂泊伶人》(*Pagliacci*)。意大利在歌剧方面代有才人出，故在世界上有"歌剧王国"之称。接下，还是叙述散文剧。

十八世纪，意大利喜剧大有成就，在此举出几位作家来代表：

哥尔多尼（Carlo Goldoni，1707—1793）生于佛尼契亚，八岁即作喜剧，十四岁离学校，随一帮漂泊的演剧者同逃。尝学医，不成，又学法律，在乡里当律师，1734年作悲剧 *Belisario*，然自悟有为喜剧作家的才能，即志在作意大利的莫里哀，而写作喜剧，并革新意大利的剧场。1761年赴巴黎，受王家恩俸，教王女们学意大利语，并仿作法国语的喜剧，《郁怒的慈善》(*Le bourra bienfaisant*，1771) 博得好评。遗下有兴味的自传《哥先生的回忆》(*Mémoires de Mr.G.*) 等，逝于巴黎。他死时正值法国大革命，生活十分困苦。共写剧本一百六十篇，其中二十篇是用诗体写的，余均用散文写，代表作为 *L'Adulatore*、*La Donna di Garbo*、*Il Bugiardo*、*Il Vecchio Bizzarro* 等。他的喜剧意味完全由于他对人的性格的了解，风格较前人为纯简，对活动人，描摹尽致，趣味丰富，真实可爱。德国歌德看了他的剧说："观众的笑声，喝彩声，自开幕到闭幕,连续不绝,他没有比这天更快乐了。"

高齐(Carlo Cozzi,1720—1806)于1761年以 *La Amore delle tre melarance* 而得名,是澄清意大利舞台之有力的人,好用神话故事为喜剧题材,使意大利喜剧自此多一种新颖的材料。所作《蓝胡子》(*Bluebeard*)、《魔鬼王》(*The King Stag*)、《睡美人》(*The Sleeping Beauty*)等都以技巧的藻饰和布景的鲜艳激动观众。他不喜欢写中产阶级的题材,并且讽刺哥尔多尼,曾以从前的即兴剧精神写下的 *Fiabe* 而引起跟哥尔多尼的论争。他的作品流行于德国,且被德国人作范本而仿作。

此外,如诺塔(N.Rota)、阿尔勃加蒂(P.C.Albergati)、格拉都(Gérard de Rossi)等对意大利喜剧的改革都有功劳。至于悲剧的改良,则始于马达列(Martelli)、马飞(Maffei)两人。前者仅模仿法国剧,故从略。

马飞(Scipione Maffei,1675—1755)生于佛罗那,以感情真挚著称,因悲剧《梅罗浦》(*Merope*,1713)得名,这便是意大利老派的最后一部佳作。他的《乡土考古学之探求的结晶》(*Verona Illwstrata*)一书很有名。

阿尔弗里(V.Alfieri,1749—1803)生于阿斯蒂地方,承继了父亲的巨大的财产,十五岁漫游欧洲各国,1772年归来。

处女作《克勒奥派脱拉》（*Cleopatra*）于1775年发表获得成功，从此专从事戏剧，七年间作成*Filippo*、*Virginia*、*Oreste*、*Mary Stuart*、*Merope*、*Sual*等十四篇悲剧。他的作品，计有悲剧二十一篇，喜剧六篇，关于美国独立的颂诗五篇，其他为十四行诗、散文、翻译等。他为出版全集而住在巴黎，适逢法国大革命，乃归乡里，过其晚年。他所冀求者，在政治为自由，在作品为高洁，在恋爱为热烈，在友谊为圆满。认为戏剧应用"古典的形式"来澄清，所以以法国拉西奴为模范，舍弃其他枝节，集中注意于主意的动作，人物始终如一，不跟着故事的发展而变化，人物性格近于不正常的热情，有一颗燃烧的心。因他自己渴望自由，常描写梅迪奇治下的佛罗棱斯的情形，对本国状况极为不满。*Sual*一剧为其代表作，意大利悲剧到他始达完成之域。

进入十九世纪，意大利在挣扎中，外有法奥的压迫，内有政治和宗教的混乱，在文学上已染上浪漫主义的气息，在此举出两人为代表。

杰珂曼谛（P.Giacometti，1816—1882）自谓读雨果和大仲马的作品后，深感"只有创造被诱惑的女子、毒药、尖刀、行刺、挣扎、鬼怪、屠夫、掘墓者，才能成为一个戏剧家"——换句话说，便是"必须不落窠臼，处处有新颖思想"。他的代表作为《玛丽·安东尼脱》(*Marie Antoinette*)、《法国皇后》(*Queen of France*)和《被剥夺一切》(*Civil Death*)。

孟浊尼(Alessandro Manzoni, 1785—1873)是诗人、小说家、戏剧家，信仰天主教。他的历史小说 *I Promessi Sposi*(1825)为意大利小说中之最优秀的一部。德国歌德赞美此书说："它如熟的果子，使我们满足。"他如阿尔弗里一样提高自由，并更热诚，作品风格纯简而崇高，诗句流利而谐和，旨趣高远，兴味深长，努力调和近似古典派及浪漫派，仍沿用合唱队和冗长的说白，不过其他都不受规律的束缚。他的悲剧《嘉玛诺拉伯爵夫人》(*Il Conte di Carmagnola*, 1819)破了"三一致律"，此剧为歌德所极称赞。它和1822年所作的《阿特尔契》(*Adelchi*)，同是发扬爱国思想的剧本，是对传统的阿尔弗里的剧本的革命。他和尼珂利尼同是意大利悲剧的代表者。

尼珂利尼(G.Nicolini, 1762—1842)是写历史的人，近似古典派，用诗体写悲剧。他也有一颗热烈的爱国心，作品中的思想高尚，诗句明丽；缺点是人物往往过于理想化，风格侈丽，用意暗昧。著作有《福斯加里尼》(*Antonio Foscarini*)、《达浦尼西达》(*Giovanni da Frocida*)和《罗沙门达》(*Resamund d'Ingliterra*)等。不过都是宜于演的东西，代表作为《浦勒契亚》（*Arnaldo da Brescia*），大致倾向于浪漫派。

珂沙（Pietro Cossa，1830—1881）虽不是一个大诗人，用诗写的剧本，在描写人物上却很好，著有《尼罗》（*Nerone*）、《梅沙林》（*Messalina*）、《克勒奥派脱拉》（*Cleopatra*）和《蒲拉图斯及其世纪》（*Plautus and His Century*）等，被人誉为"十九世纪第一位真正的戏剧家"。

此外，尚有应用中世纪传记作剧的麦伦珂（Leopoldo Marenco，1831—1899）、采用宗教题材作剧的波维奥（Giovanni Bovio，1837—1903）等。

我们知道浪漫主义思潮到了意大利，写实主义思潮也一样侵入，所以在十九世纪意大利戏剧有这两派。先说介乎两派之间的杰亚珂萨。

杰亚珂萨（Giuseppe Giacosa，1847—1906）被认为是写实主义之领袖，但他并不走极端，写过不少剧本，初期作品《变局》（*A Game of Chess*，1871）以法国古传说为根据，以诗写成。代表作为《路易斯》（*Luise*，1883）、《犹如树叶》（*As the Leaves*）等。

浦拉加（Marco Praga，1862—1929）觉得杰亚珂萨太道学，太理想。他写了些描述两性关系的剧本，有《处女》（*The*

Virgins）、《理想的妻子》（*The Ideal Wife*）、《多情妇人》（*The Enamoured Woman*）等。

樊尔加（Giovanni Verga，1840—1922）也描写两性关系，同情一切受苦难的女人，偏于情欲方面的描写。作品有《在挑夫家里》（*In the Porter's Lodge*）、《猎狐记》（*The Fox Hunt*）等。

近世纪的作家倒不少，在此不能一一举出，最后只谈两位最出色的，世界闻名的剧作家邓南遮和皮蓝德娄。

邓南遮（G.D'Annunzio，1863—1938）是小说家、戏剧家、诗人、军人、爱国志士。生于匹司加拉（Pescara），罗马大学毕业，很早便作诗，十六岁即文名籍甚，二十岁已出诗集四篇，1883年第一部著作《英迪米索特利米》（*Intermezzo di Rime*）出，对于生命和爱情表示渴望追求，自此以后，他卓然为新派领袖。1886年迁居罗马，优游其间，和士大夫交往，气益豪，文益壮，法国左拉、莫泊桑的作风影响他很大。在罗马住了七八年，所作甚多，《依沙陀》（*L'Isottèo*）、《戚米拉》（*La Chimera*）和《爱里杰罗曼尼》（*La Elegie Romane*）等诗，颇能融合古诗的格律和音韵于近代思想之中；他提倡诗歌音乐化，诗歌中以《乐园之诗》（*Il Poema Paradisiaco*，1893）为其杰作。离罗马后，居阿布鲁戚（Abruzzi）山中，从事写作长篇小说，所作小说极多，其中以《死的胜利》（*Il Trionfo della morte*，1894）为最有名。戏剧初期作品《光荣》（*La Gloria*，1899）含政治色彩，在意大利被禁演；《菊里奥的女儿》（*La Figlia di Jorio*，1904）是他唯一最能上演，且最值得一读的剧本。1897年出版《春宵的梦》（*Sogno d'un mattino di primavera*），又为名女优沙拉（Sarah Bernhardt）及杜丝（Duse Eleonora）写了《死城》（*La Città morta*，1899），极受观众欢迎，一跃而为新世纪之大戏剧家。晚年住在巴黎，《秋宵的梦》（*Sogno d'un tramonto d'autunno*）一剧，即在巴黎排演。第一次世界大战爆发后，他还在巴黎，1915年春归国，由从来唯美主义者的态度跃进于政治实务，成为法西斯主义者，在各地鼓吹爱国，投身军籍，凡骑兵、步兵、海军都干过，最后投入航空队，1916年被弹伤一目，亦屡建功勋，1924年皇帝予以Principe di Montenevoso的称号。1911年还作了自传的散文诗*Le Faville del maglio*，但他在戏剧上的成就还不如在小说上。他写作极谨慎，准备充分，据说那最好的小说《死的胜利》经过五年以上的时间收集材料，费两个月工夫始写成。他是两性关系的批评者和解剖者，并能把自己融化在作品里，艺术的技巧很高。和《死的胜利》同为不朽小说的是《火焰》（*Il Fuoco*），文字优美，有人说这是篇自传性质的小说，写他自己跟女优杜丝恋爱的事实，但杜丝那时已是个四十几岁的女优，不愿爱人发表秘密的恋爱经过，当时用一万利尔（Lire）收买此稿，后来不知怎样。邓南遮发表了，使她伤心至极，因之有许多人为杜丝抱不平，痛骂邓南遮无行，他自知理屈，登报向杜丝道歉，可是她终被他遗弃而入修道院度凄清的岁月了。邓南遮因为思想反动，为法西斯文人中的红人。

皮蓝德娄（L.Pirandello，1867—1936）也是小说家兼戏剧家，生于西西里，十九岁时到罗马进大学读书，1891年留学法国，在Bonn大学得哲学语言学的学位，直到1923年止，都在罗马高等女子师范学校任教。他从事小说写作将近三十年，四十五岁才开始写作剧本。他的小说，即使在他的本国，大部分也都是不能引人入胜的。有些批评家认为是由于故事本身，另有一些批评家却认为他已经是过了时的天才。

他的小说最著名的大约是1904年发表的《死去的巴斯卡》（*Il Fu Mattia Pascal*），内容写一个人装死，于是想重新改名换姓，在另外一个氛围中重新他的新生活，但徒劳无益。他的短篇小说，都搜集成一册，题名为《一年的小说》（*Novelle Perunduno*），其中搜集了三百五十六篇短篇小说，每天一篇。虽说并无异彩，可是他以戏剧突然地奠定了他的地位。他的第一部演出的戏是《西西里的白柠檬》（*Sicilian*

Limes),可是使他名驰国外的剧本,还是《六个寻找作家的剧中人物》(*Six Characters in Search of An Author*)。在这个剧本中,他应用了他的意匠,这种意匠,在他后来的剧本中,也多少发挥了的——那便是现实与信仰间暧昧的关系。在他的幽默背后,隐藏着忧郁和更深刻的意思。其他剧本为文艺界所熟知的有《各行其是》(*Right You Are* or *If You Think You Are*)、《设非如是》(*If Not Thus*)及《如愿》(*As You Desire Me*)。自从他获得诺贝尔奖金之后,他的《今宵即兴》(*Tonight We Improvise*)已在巴黎公演。意大利这时对于写实主义又有点厌倦,突起了"怪奇派"(Grotesque),这派主要的观念是描写人类的双重人格,皮蓝德娄是此派的放异彩者。他的全部作品,几乎都是表现抒情的自我和社会的自我。所谓社会的自我,他以为不过是一种处世的面具——这面具并不一定是欺骗的、自觉的。而且我们大家都不觉得它是面具,反错认它为真正的"自我";当面具被人揭穿后,那便是人生的悲剧了。这种皮蓝德娄主义(Pirandelloisme),曾影响了全世界的剧坛。

五　法兰西

十七世纪前半段是古典主义的开始期,十七世纪后半段是隆盛期,十八世纪初头是衰落期。在这整个十七世纪古典主义期中,法国剧坛出了悲剧的开山祖师高乃依和拉辛,喜剧的大宗师莫里哀。

高乃依(Pierre Corneille,1606—1684)是河道山林管理局局正的长子,初当律师,仅出过一次庭,即弃职从事文学。他的处女作是一本喜剧《梅丽脱》或《假的信札》(*Mélite ou les Fausses letters*,1628),1629年携此剧赴巴黎,一上演马上得到观众的欢迎,被威权煊赫的政治家李虚留(Richelieu)看中了,收留在门下。后来他要把李虚留的一部作品计划更改,于是闹翻了,他便离去,写了一本用古代事实的悲剧《梅苔》(*Médée*,1634),在技术上大大进步;接着用西班牙的传说做材料写成一部使他不朽的杰作《熙德》(*Le Cid*,1636年初演),由此而成为法国悲剧的开山祖师。1640年作《贺拉西》(*Horace*)、《西娜》(*Cinna*),1643年发表了《泊里安克脱》(*Polyeucte*)。他在1640年结婚,1647年进从前反对他的"国家文学院",旋写了二十来个剧本。实际到喜剧《说谎者》（*Le Menteur*，1643），已渐渐走上衰落的道路；到 *Pertharite* 一剧失败，暂离剧坛；不久重返，《奥迪普斯》（*Oedipe*）及其他剧又被人欢迎；结果因 *Saréna* 一剧失败便永离剧坛，贫困而逝于巴黎。高乃依在悲剧喜剧两方面都有天才，不过悲剧比喜剧更写得好，一共写了三十个剧本，大部分是历史的，小部分是前人已写过的题材，如《阿的加》（*Attila*）、《奥迪普斯》等。人说法国不仅第一出悲剧是高乃依写的，即第一出喜剧也是他的《说谎者》；后人称他为"法国悲剧之父"，这样说，就也该称"法国戏剧之父"。如拿他跟第二位代表作家拉辛比，则相处对立的地位，拉辛描写现实的人间，拜倒于情热之前；而高乃依则描写理想的人间，赞美意志的力量。描写古来英雄的人物，几无人可与高乃依比并者，据说拿破仑极爱读他的剧，在战场上都不忍舍手。

拉辛（Jean Racine，1639—1699）二岁丧母，四岁丧父，由祖母抚养长成，少和耶教派教士往来，受影响很深，所受教育完全为古典的。后来和鲍阿罗、拉封腾、莫里哀交友，虽说在学校时完全受宗教的道德的教育，出校后却一度陷于放纵的生活。1664年由友人莫里哀排演他的处女作《戴巴意特》或《不睦的兄弟们》（*La Thébaide* ou *les Frères ennemis*），极平平。1667年出其杰作《安特罗马克》（*Andromaque*），使他变为当时的最大悲剧家之一。此剧取材于荷马和味吉尔的史诗及欧里庇得斯的同题名之剧本，这剧本的成功，表示出他的写剧的原理，根本和高乃依的不同。1668年因在某一场官司中失败，写了一出喜剧《爱争讼的人们》（*Les Plaideurs*）取笑律师。1669年作《蒲里达尼古》（*Britannicus*）。1670年和高乃依各写一出《贝雷尼斯》（*Berenice*），高乃依的不惹人注意，而他的得到光荣的胜利，由此拉辛升上了领袖地位。1672年作*Bajazet*。1673年作*Mithridate*，同年进法国国家文学院。1674年受了欧里庇得斯的默启，作《伊斐琴尼亚》（*Iphigénie*），就在这一年，拉辛当了法王的顾问。可是拉辛向来受不得批评，1677年作《斐特尔》（*Phèdre*），有些男女贵族跟他作对，令一叫浦拉同（Pradon）的也写一本《斐特尔》，同时排演，且在这边订了座位，届时不去，致拉辛这边场子空着，那边满座。但事实终胜雄辩，至第七次上演，这边满座，那边空场了，拉辛的声誉更高。然而他个性高傲，受不得打击，前六场惨败的情形，终使他心灰意懒。这一年他结了婚，便做了路易十四的史官。到1677年便不作剧，以后应孟丹农夫人（Mme.de Maintenon）之请，才为圣须（Saint-Cyr）皇家女校的学生写两个不讲爱情的剧本——《爱司脱》（*Esther*）和《阿塔丽》（*Athalie*）。《安特罗马克》《斐特尔》为其平生最伟大的杰作,这便是被当时讥评为"陋劣的阴谋"的剧本;但拉辛确是现实地描写情热的活动,文体既完整,音调又和谐,所以被推为法国古典主义剧作的完成者。他和高乃依一样长于悲剧,在喜剧却也有天才,他的《爱争讼的人们》很好。他一生还写了一些宗教诗、书翰集、路易十四世的远征纪事等。

莫里哀(Molière,1622—1673)是喜剧大宗师,真名叫Jean Baptiste Poquelin,莫里哀是他演剧作剧用的名字。他生于巴黎,父是法王的侍从,王府毡厂的总管;母亲是织毡者的女儿。少时进教会学校,课程不适宜于他,他就是好看戏,因此认识了意大利戏剧。十二岁时要求专门读书,其父把他送进克来芒中学(Collège de Clermont),和一些贵族学生在一起学拉丁文,某些时也演习拉丁文戏剧;在这个学校四年,各种学问的根底都有了,尤其是读了很多诗。后在法国西南部碰到一个旅行喜剧团中的容貌美丽、技术高明的名演员马德兰·贝霞尔(Madeleine Béjart),一见倾心,便决定了自己一生的事业。将近二十岁时,就请求父亲把皇家的职事让另一儿子承继,自己只要应分得的母亲的遗产,他要拿去和贝霞尔及她的兄弟约瑟夫(Joseph)、他的妹妹健妮维芙(Genevieve)以及他的几个朋友组织剧团。家人对此大为痛心,而怎样也阻止不了，只得请莫里哀的老师宾纳尔（Pinel）出来劝说，不料老师反被学生说服了，邀去参加演剧，到1643年6月30日正式成立了这"光明剧团"（Illustre Théâtre）。可是一年后便和其他一个剧团合作（1645—1650），一直在外省演剧。1658年回到巴黎，在法王宫的护卫大殿里表现他的天才和技艺。莫里哀怀才，路易十四爱才，这一个遇合，决定了莫里哀的一生，这也是世界剧坛可纪念的一日。于是国王指定王宫附近一间大厅名小布奔（Petit Bourbon）的给光明剧团做表演的地方。1662年和贝霞尔结婚，1664年得一子，路易十四居然肯屈尊做小孩的教父。莫里哀因为多年出外流浪，所以剧中能切实地描写百姓，又因得法王爱护，在剧中敢于讽刺当时的贵族。他一生作剧甚多，依年代顺序，记其剧名如下：

1658年：《轻率人》（L'Etourd）、《恋爱的烦恼》（Ce-Depitamoureux）。

1659年：《可笑的贵妇人们》（Les précieuses ridicules）。

1660年：《斯加拿莱》（Sganarelle）。

1661年：《嫉妒王子》（Le Prince jaloux）、《杀风景的人们》（Les fâcheux）、《丈夫学堂》（L'École des maris）。

1662年：《夫人学堂》（L'École des femmes）。

1663年：《夫人学堂的批评》（La Critique de L'École

des femmes)、《凡尔赛空中的急就章》(*Le Improntu de Versailles*)。

1664年：《强婚》(*Le Mariage forcé*)、《爱理特公主》(*La Princesse d'Elide*)、《伪君子》(*L'Imposteur*或*Tartuff*。此系三幕，1667年作五幕完全的《伪君子》)。

1665年：《医生》(*Les medécins*)[后改为《医生的爱》(*L'Amour médecin*)]、《唐璜》(*Don Juan*)[又名《石宴》(*Le Festin de pierre*)]。

1666年：《不愿意也是医生》(*Le médecin malgré lui*)、《梅丽桑德》(*Mélicerte*)、《滑稽的牧曲》(*Pastorale comique*)、《厌世者》(*Le Misanthrope*)。

1667年：《西西里人》(*Le Sicilien*)、五幕的《伪君子》(详前)。

1668年：《安斐屈里翁》(*Amphitryon*)、《乔治·旦亭》(*George Dandin*)、《悭吝人》(*L'Avare*)。

1669年：《布尔索那克先生》(*Monsieur de Pourceaugnac*)。

1670年：《华丽的情人》(*Les Amants magnifiques*)、《乡绅》(*Les Bourgeois gentilhomme*)。

1671年：《茜姬》(*Phyché*)，此系和康纳耶及歌剧家刘里（Lulli）合作，《史加本的诡计》（*Les Fourberies de Scapin*）、《爱司卡巴拿伯爵夫人》（*La Comtesse d'Escarbagnas*）。

1672年：《博学的妇人》（*Le Femmes savantes*）。

1673年：《幻想的病人》（*Le Malade maginaire*）。

他是空前绝后的作者，任何形式都写，下自滑稽剧，上至高级的喜剧，质上量上都是空前的；语汇丰富，性格描写极深刻，创造了不少的典型；自作、自导、自演，颇得路易十四的恩宠。他继续不断地在舞台上努力，遂至羸弱的肉体，不堪刚强的精神所酷使，终在演《幻想的病人》时吐血，死于舞台之上，享年五十一岁，留下一位将来要再嫁的少妻及一女。

十八世纪法国戏剧可举出三位代表，即伏尔泰、狄德罗和博马舍。

伏尔泰（Voltaire，1694—1778），这名字虽为人所周知，却是笔名，他原名叫F.M.Arouet，生于巴黎。初学法律，后转而从事文学，因讽刺斐力普二世，被禁锢十一个月，后又因事禁锢了六星期。1734年写了一册《英国尺牍》（*Lettres philosophiques sur les Anglais*）又被通缉，赖爱人沙德雷夫人（Châtelet）庇护得免。1746年入学士院。一生著作极多，范围极广，全集达七十卷之多，1778年死于德国。他的虚荣心很强，有政治野心及蓄财之癖，好投机赌博，以其超群之才，挥如椽之笔，对当时的政治、法律、宗教都予以讽刺暴露，为堕落的僧侣、贵族、榨取阶级所忌惮。他的启蒙主义的主张教育了法国人，成为革命的原动力。诗歌、戏剧、散文、小说都写得好，这里只提一提他的剧作。他于十九岁写《奥提普斯》悲剧，一跃而成文坛的宠儿，后来约写了二十本悲剧，十多篇喜剧。喜剧除《浪荡子》（*L'Enfant prodigue*）外，完全失败。悲剧以描写爱情和爱国冲突的《蒲鲁东》（*Brutus*，1730）、描写爱情和宗教责任冲突的《沙意尔》（*Zaire*，1732）及《梅罗普》（*Mérope*，1743）为最佳，其他如描写爱情和孝行冲突的《阿齐尔》（*Alzire*，1736）、描写慈爱和忠君冲突的《中国孤儿》（*Le Orphelin de Chine*，1755）也是名作。他是古典主义的作家，但有时不拘泥于"三一致律"。他是多方面的天才，在作剧上还不能算是他的特优点，不过他的悲剧已很足观了。

狄德罗（Denis Diderot，1713—1784），为铸刀匠之子，在巴黎学哲学、数学、物理学。初以宗教的著作而为世所知，旋从事文学的创作和批评，最后同达兰倍尔（D'Alembert）合编《大百科辞典》（*Encyclopédie*）三十三卷。他自己的全集有二十卷。他在1745年前是有神论者，1746年是理神论者，1747年是怀疑论者，到1753年成为无神论者了。在此也只说他在戏剧上的成就。他不喜欢伏尔泰那种风格，认为舞台离实际生活太远。戏剧该是教育的媒介，教人怎样做人，该用散文写，故事该显示某阶级的特点。他的两个主要的剧本是《私生子》（*Le Fils naturel*，1757）及《家长》（*Le Père de famille*，1758）。

博马舍（P.Beaumarchais，1732—1799）生于巴黎，原名加龙（Augustin Caron），本来继他父亲为钟表商人，后做路易十四的女儿们的音乐教师。好利，常敲诈人家，因此成富翁。大革命时出奔德国，后回国，但财产已失去，在穷困中逝去。约在三十五岁时，对狄德罗的戏剧理论感兴趣，写作描述普通人日常生活及讽刺当时贵族社会的剧。他的杰作可举出两部：一是《赛维尔地方的理发匠》（*Le Barbier de Séville*），为1772年作，1775年初演受批评，遂缩五幕为四幕，乃得观众欢迎，久演不衰；一是《费加罗的婚礼》（*La Folle journée* ou *Le Mariage de Figaro*），为1781年作，初演于1784年，是上一剧的续篇。

十九世纪是浪漫主义（Romanticism）的时代，法国的浪漫主义是受德国、英国影响的，所以关于浪漫主义的意义等，在此不叙述，有人称浪漫主义文学为"文学化的法国大革命"，这话是很正确的。自然说到法国的浪漫主义，我们不能忘记雨果和他的韵文剧《欧那尼》，现在就由他说起。

雨果（Victor Hugo，1802—1885）是诗人、小说家，又是剧作家。他的父亲是有名的将军，幼随父在意大利、西班牙过活，接着到巴黎去，十岁即能作诗，天分极高，想象雄大，韵律丰富，感情充溢，被目为浪漫派的领袖。旋被选入学士院，为上院议员。1848年革命后入立宪议会、立法议会，努力拥护民主政治。1851年逢拿破仑三世的"苦的打"（Coup d'etat），试反抗，未成，亡命至比利时，迨1870年法国宣布共和政制，始返故国。一直在评议会任事，逝于巴黎，举行国葬。作品在质上量上说，均可推为十九世纪第一人。这里仅说他在戏剧上的成就。1827年举起浪漫主义的火把，他的《克伦威尔》（Cromwell）一剧出世，这是他想以之证明自己的理论的东西。他认为不需要"三一致律"，重要的是动作，传统悲剧中的对仗、有韵诗都应摒弃，诗的作风必须自然，主张离奇，必须和恐怖合作一起；不过这剧还不是极好的作品。到了1830年，拿出杰作五幕十六场的《欧那尼》（Hernani），古典主义和浪漫主义的恶战便开始了：排演的时候，就有古典派党徒在门外偷听对话，回去编些笑剧（Farce）来嘲讽；2月25日上演时，"打倒古典主义"（Abas le classicisme）的呼声在法兰西剧场内外沸腾，古典派党徒占了一些座位，准备喝倒彩；浪漫派青年也预备应战，戈底叶（J.Gautier）还穿着特制的"红背心"呢；结果剧本本身的力量把叫嚣的古典派党徒吸引到鸦雀无声地做驯服的观众了，就此把古典主义宣告了死刑。由此，雨果再继续改用散文写了些剧本，著名的有《王自乐之》（*Le Roi s'Amuse*，1832）、《吕克兰斯鲍夏》（*Lucrèce Borgia*，1832）、《玛丽妥特》（*Marie Tudor*，1833）、《项日乐》（*Angelo*，1835），又用诗写喜剧《吕伯兰》（*Ruy Blas*，1838）。

雨果以后，法国戏剧趋写实的倾向，在这里原该提到大仲马（A.Dumas, père，1802—1870）和斯克里勃（A.E.Scribe，1791—1861），但因为篇幅所限，割爱了，仅将半写实的十九世纪末叶剧坛三大领袖——奥显、小仲马、萨都，叙述一下。

奥显（Emile Augier，1820—1889）的技巧圆熟，懂得舞台效果，1844年的《松》就很成功，1849年的《加勃里》（*Gabrielle*）有惊人的成就，使他的地位增高。他写了七个剧本，但可称为杰作的是和桑独（J.Sandeau）合作的《巴瓦列先生的女婿》（*Le Gendre de Monsieur Poirier*），述一富翁要把自己的女儿嫁给贵族，因而断送了女儿的一生。

小仲马（A.Dumas, fils，1824—1895）生于巴黎，是大仲马的私生儿，初写小说，后转写剧而成名，蔑视当时的作剧术，大胆地试他的新手法，终成近代剧的先驱者。1848年作小说《茶花女》（*La Dame aux Camélias*）已成名，于1852年改编为剧本，更成功，于是专作剧。剧作中有名的为《半上流社会》（*Le demi-monde*，1855）、《私生子》（*Le Fils Naturel*，1858）、《奥白莱夫人的主张》（*Les Idees de Mme. Aubray*，1867）、《段宜斯》（*Denise*，1885）、《阿尔丰先生》（*Mousieur Alphonse*，1874）等，他好描写两性问题，善写有闲阶级的游惰生活。

萨都（V.Sardou，1831—1908）初学医，后以教书为生，和名演员苔然端（Dejazet）结婚后，才从事剧作，技巧极佳，能将各种剧情和人情适合于剧本的需要。他的名作有《我们的知己》（*Nos Intimes*，1861）、《祖国》（*Patrie*，1869）、《托斯加》（*La Tosca*，1887）等，由此，法国剧坛确立了自然主义。1887年安脱奴（Andre Antoine）开设了自由剧场（Théâtre Libre），法国近代剧因之极为隆盛，一直到二十世纪初头。这期间只想举出七位作家为代表。

亨利培克（Henri Becque，1837—1899）只作了两部杰作，1882年的《鸦群》（*Les Corbeaux*）是近代剧的模范，述一个实业家的寡妇带了她的三个女儿，逼得和恶社会宣战，终究她的一个女儿还和一个流氓结了婚；1885年的《巴黎妇人》（*Le Parisienne*）述说一个中产阶级的女人居然在她丈夫和男朋友间过着极安静的日子。他的剧本当时被剧院拒绝,但到了演出时获得绝大的成功,影响法国剧坛极大,安脱奴的自由剧场出现,也可以说是受了他的影响才有的。

白利欧(Eugène Brieux,1858—1932)介绍另一部剧本给法国舞台,大半是讽刺现代习俗和攻击社会组织之缺陷的社会剧,显然受了易卜生的影响。他被萧伯纳赞许为"莫里哀以后的第一人",最著名的剧本是写婚姻问题的《杜滂氏的三女》(*Les Trois Filles de M.Dupont*,1899)、写法律问题的《红袍》(*La Robe ruge*,1900)及写花柳病的《破损品》(*Les Avariés*,1902),次之为写父母溺爱的《一腹之卵》(*La Couvé*,1903)、写赌博的《赛马的结果》(*Le Résultat des Courses*,1898)、写人口增殖和私生子的《母性》(*Maternité*,1904)、写罪恶的母和女的《西梦娜》(*Simone*,1908)、写宗教的愚昧和势利的《信仰》(*La Foi*,1910)、写职业妇女的《独身女人》(*La Femme seule*,1912)等。

爱尔维叶(Paul Hervieu,1857—1915)是小说家兼剧作家,做过大使馆的书记官,后来专心于文学,以写社会剧为主,作风比白利欧较精细、结实,是一解剖的作家。著名作品有《钳子》(*Les Tenailes*,1895)、《人的法律》(*La*

Loi de L'Homme，1897)、《火炬的竞走》(*La Course du Flambeau*，1901)、《半醒》(*Le Réveil*，1905)、《认识你吧》(*Connais Toi*，1909)等。

寇理尔（Francois de Curel，1854—1928）是 *Armee et marine* 的主笔，初写小说，后转而作剧成名，有"法兰西易卜生"之称，有着女性的纤细的心理解剖的才能，著名的作品有《圣女的里面》(*L'Envers D'une Sainte*)、《化名》(*Les Fossiles*，1892)、《狮子的宴会》(*La Repas du lion*，1897)、《新偶像》(*La Nouvelle Idole*，1899)等，尤其《狮子的宴会》为杰作。

拉夫党（H.Laveden，1859—1940）是小说家兼剧作家，善于描写巴黎的颓废生活，解剖社会心理的里面，以轻快的文字写社会喜剧，著名的作品有《一家族》(*Une famille*，1891)、《决斗》(*La Duel*，1905)、《新游戏》(*Le Nouveau jeu*，1898)、《恶趣味》(*Le Goût du vice*)等。

罗斯丹（Edmond Rostand，1868—1918）生于马赛，父亲是新闻记者兼经济学者。他幼时即有音乐和诗的素养，初作诗，后转而作剧，二十二岁时和美貌的女诗人吉伦德（Rosmond Gérard）结婚，翌年即作《罗曼纳斯圭》(*Les Romanesques*，1894)，三年后上演，得第一喜剧奖。后续出《远方公主》（*La Princesse Lointaine*，1895）、《撒马利亚人》（*La Samaritaine*，1896）等剧，这些初期的作品已显出明快华丽的笔调。到1897年出了《西哈诺》（*Cyrano de Bergerac*），便成为世界剧坛的宠儿。1900年作《雏鹫》（*L'Aiglon*）悼拿破仑一世遗儿可怜的命运。1910年作《欣特加勒尔》（*Chantecler*），是写意剧，以雄鸡为主人公而象征法国。《雏鹫》一剧成功之后，即被选入法兰西学院。据说他在路上走，一定有崇拜他的群众尾随，可见他的剧本吸引观众的力量，作品都用美丽的韵文写。

罗曼·罗兰（Romain Rolland，1866—1944）是小说家、评论家、剧作家，在此只说他的戏剧。他是属于十九世纪和二十世纪的伟大作家。他的曾祖父就是位热心的革命者，给他不少影响，后对十八世纪，尤其对法国革命极感兴趣，终于写了许多革命剧。在师范学校时，他学的是历史和哲学，但希望成为音乐家。崇拜托尔斯泰，及读其《艺术论》，怀着对艺术的疑惑，苦闷之极，便直接去函求解答，托尔斯泰答以"到民众中去，在那儿有着艺术的道路"，方得安心。毕业后游学意大利，和老妇人阿尔维达相识，受极大的感化。1895年作《近世抒情诗剧之起源》（*Les Origines du théâtre lyrique moderne*）论文，而得学位，旋在母校授艺术史，当时他的高足柏契（Péguy，1873—1914，著剧诗甚多）毕业后创刊《隔周杂志》（*Les Cahiers de la Quinzaine*），他在该刊发表文章，文名渐高，1915年得诺贝尔奖金。始终否定暴力，第一次世界大战中，因著作被放逐出国，移住于瑞士的莱芒湖畔，在第二次世界大战中逝世，极可惋惜！所作剧中著名的有《狼》（*Les Loups*）、《真理的胜利》（*Le Triomphe de la Raison*）、《但东》（*Danton*，1900）、《宗教信心的悲剧》（*Les Tragédies de la foi*，1913）、《爱和死之角逐》（*Le Jeu de l'Amour et de la Mort*）等。

六 西班牙

西班牙戏剧的黄金时代在维加（Lope de Vega，1562—1635）逝世后即过去。十七世纪虽尚有几个人物，却已不及维加，直到卡尔德龙出，才放出灿烂的光辉，事实上他也许可说比维加还要伟大些。在这里还是先叙卡尔德龙之前——十七世纪初的几位作家。

莫伶那（Tirso de Molina，1584—1648）本名叫Gabriel Téllez，生于马德里，比维加小九岁，是维加的信徒之一。三十岁后到西印度去做牧师，后转住于各地，最后为某僧院的主僧而终。自1606年起得戏剧家名,在三十四岁时初次公演剧本,当时维加已享盛名,而他也就在这时露头角。据说共写了四百篇剧本,留传下来的约有八十篇,代表作为 *El Burlador de Sevilla Y Convidado de piedra*(性格剧)、*El Condenado por desconfiado*(宗教剧)、*La Prudencia en la Mujer*(史剧)、*Don Gil de las Calzas Verdes*(喜剧)。他的作品中人物的行为常是淫荡和猥亵的,大致是他未做教士前的作品。他自称为维加的弟子,在想象力的丰富、观察现实的正确、表现的有力、言辞的生动上绝不劣于维加,给当时及以后、国内和国外的影响都很大,如依士卜龙、西达和左里拉的剧作,都有些模拟他的。

葵华拉(Luis Vélez de Guevara,1579—1644)是小说家兼剧作家,剧本方面有《死后的支配》(*Reinar despues de morir*)、《山间明月》(*La Luna de la Sierra*)等,最著名的却是恶棍小说《跛足的恶魔》(*El Diablo Cojuelo*),这是以讽刺当时社会的富于机智的小说。

卡司特罗(Guillén de Castro,1569—1631)初为军人,后退而仕于某公爵,1607年任县知事,1619年安居于马德里,仕于匹尧斐尔侯爵处。和维加交谊很深,所以受影响很大。1631年死于马德里。代表作为史剧《希德的青年时代》(*Las*

Mocedades del Cid）及《希德的武功》（*Hazañas del Cid*），前一剧被法国大剧作家高乃依把故事简单化后而成为世界名著《熙德》。

阿兰恭（Ruíz de Alarcón，1581—1639）生于墨西哥。1600—1608年学于莎拉孟加大学，毕业后归墨西哥。但1613年再度来西班牙，至死都住在西班牙。因为身体伛偻，时受人嘲笑。1628年出版剧本八篇，1634年出版十二篇，但据说一生写了三十五篇。他既没有维加那样奔放自由的想象力，也没有莫伶那样的幽默，具有一种尊严难犯的性格，剧作是写实的，具有高尚的道德性，这便是他的特长。代表作为《隔墙有耳》（*Las Paredes oyen*）、《反基督》（*El Anticristo*）、《疑惑的真实》（*La Verdad Sospechosa*）等。

吉委多、阿米寇（Mira de Amescua，1574—1644）等都是这时代的作家，吉委多在小说上更有成就。不赘述，在此，仅叙最伟大的卡尔德龙。

卡尔德龙（Pedro Calderón de la Barca，1600—1681）生于马德里的有声望的人家，父亲在政府任职，他先入耶稣大学攻读，后入莎拉孟加大学习宗教法，可是并不知道他曾否出席法庭。在他十三岁那年，他便感到有写作剧本的冲动，便写了那些传留已久的许多剧本的第一部。至于这个戏是什么，曾否印行,则不可考。

斐力普王第四(Phillip Ⅳ)曾叫他为Buen Retiro的皇家剧院写作剧本,当时,他还很年轻。他参加过多次战争,1637年,国王封他为"桑迪亚哥"(Santiago),即廉直而勇敢的武士。之后,他的写作生活,因军事职责而受到阻碍。他参与了压平卡塔洛叛乱的战役,战功卓著。后来因身体衰弱而退休,政府予以军事养老金。一生过着富有变化的生活,1651年入僧籍,在马德里住过很长的时间。

1622年,卡尔德龙开始他的作家生活,1635年维加死后,他即执西班牙剧坛的牛耳。一生的剧作约有一百二十种,八十篇圣餐神秘剧(即宗教剧Auto sacramental)和二十篇幕间剧(Entremés)不算在内。作品在创意力上说是不及维加,但在技巧和富于抒情味的庄重的文体上说则凌驾维加之上。当时入僧籍的作家很多,却没有一个像卡尔德龙那样笃信天主教义,遵守教条的。他的宗教的热忱在剧中随处可见,所以在圣餐神秘剧上独放异彩,可以说宗教剧到了他,才免去幼稚达到成熟。在其他剧中又真实地表现了当时西班牙武士对君主的忠诚和名誉体面的观念。他写悲剧,也写喜剧,但前者较后者为佳。也同维加一样采用西班牙的材料,但不创造新的形式,善于运用鬼神奇异,擅长写令人啼笑皆非的场面,剧本从头至尾都是些美丽的抒情诗,所以他也是西班牙的伟大抒情诗人之一。据说他常不注意自己的作品,往往流传出去了,隔些日子自己再读时,便不认识。他的文体起初非常清新,后转变为使人难懂的雅丽文体,这倒使他成大名;要是说缺点,也就在过于运用辞藻,不过有人说是编他的全集的人把它窜改过才如此雅丽至于艰深晦涩。

他的代表作有:《奇异的魔术家》(*El Mágico prodigioso*)、《十字架的虔诚》(*La Devoción de la Cruz*)、《萨拉曼亚的村长》(*El Alcalde Zalamea*)、《浮生若梦》(*La Vida es sueño*)、《有两个门的房子》(*La Casa con dos puertas*)。尤其是悲剧《浮生若梦》,是他的代表作中之代表作。写波兰国王生一子形状凶恶,且王后产亡,深恐此子不祥,将来或为暴君,倾覆社稷,故将其拘囚于荒城古塔内。及其成人,将其麻醉抬回宫中,予以王位试其性格,认为野性难驯,仍使麻醉抬回古塔,太子醒后疑前此为梦境,云人生殆如梦幻,何必放纵感情,后此决一改前非。复为叛兵解放拥为帅,清君侧,和国王战,擒王,但极尽子道,父子之间和好,继王位。此剧算是卡尔德龙高深的哲学的集中点,又充满了华美的诗的气质。

关于卡尔德龙,白琳嘉(Bellinger)有一番确切的评语,他说:"卡尔德龙有一颗明亮而深刻的探求的心。像其他作家一样,也是被时代的环境和所生长的国家所范围住了。他一定懂得、觉得文艺复兴的精神和宗教的动摇,不过他丝毫不露声色,他不愿意走入近代思想的世界里去。他的伟大在于他深刻的丰富的自然情绪和诗意;对人类漂浮着的心灵表示同情,他表现出来的时候,有时是一个神秘者,有时是一个爱护一切的人,有时是一个探求真理的人。他把一种新的东西放进了戏剧——一种怀疑探问的声气,一种无可奈何的艰涩的表示。"

自从卡尔德龙死后,法、意的古典主义渐移入而笼罩住西班牙剧坛,使剧坛沉寂了两世纪之久。鲍阿罗的关于诗歌和戏剧的理论,于1737年译为西班牙文,古典主义的镣铐更束缚了当时的作者。在十八世纪尚有写实趣味的作家是拉克吕士(Ramón de la Cruz,1751—1795),他生于马德里,在当下级官员的公余写了不下三百本剧作,他虽然在经济上不乏人帮忙,但生活常在贫困中,所以在作品中常以贫民和流浪者的生活为主题。他是以讽刺嘲笑为目的之滑稽剧的创始者,代表作为《夜的浦拉特》(*El Plado por la Noche*)及《马德里的集会》(*Las Tertulias de Madrid*)。此外便是以诗人莫拉丁(L. F.de Moratín,1760—1828)为领袖提倡法国戏剧的一派,莫拉丁的儿子莱特罗(Leandro,1760—1828)继父志输入法国剧,他后来死在巴黎。他长于诗，更长于剧，受莫里哀的影响很大，但不是模仿者，有"西班牙的莫里哀"之称，最好的作品是《女子的诺言》（*El sí de las niñas*），在现在看来，他的剧本还不失为可爱。

这以后，进入十九世纪，写实主义、浪漫主义等影响都到过西班牙，不过并没有大不了的表现。在十九世纪至二十世纪倒可以举出几位好作家。

爱芝葛兰（José Echegaray，1832—1916），生于马德里，初习土木工程，后当教师并发表数学的研究文章及关于财政学的著述。1868年革命后历任土木局长、商工部长、财政部长，1873年亡命巴黎。他自学生时代即对戏剧有兴味，1874年发表处女作 *El Libro talonário* 即受观众和读者欢迎，雄飞于浪漫时代的西班牙剧坛。他的剧作以作剧术之整备和悲剧味的洋溢著名，他的戏剧的影响力极大，有一种忧郁的真实表现力，使人感动，受大仲马和易卜生的影响，如《唐璜之子》（*The Son of Don Juan*）及《大格里奥托》等剧，简直是易卜生式问题剧的模仿。只是在人物性格描写上差点。他的代表作为《大格里奥托》（*El Gran Galeoto*）、《狂耶圣耶》（*O locura O santidad*）、《清洁的污点》（*Mancha que limpia*）、《狂痫的神》（*El loco Dios*）等，他在国外闻名的剧本是《世界及其妻》（*The World and His Wife*）。十九世纪的西班牙戏剧本不发达，到他才有起色，才引起全世界的注意。1904年得诺贝尔文学奖金。剧作之外尚有些学术的及政治性质的著作，他为政治家最大的功绩是创设西班牙银行（Banco de España）。

同时的阿西（Gaspar Núñez de Arce，1834—1903）也以戏剧出名，有 *Haz de Leña* 是当时杰出的历史剧。李华（Linares Livas）是写实主义的代表，有《窒息》（*Stifling*）、《爪牙》（*The Claw*）、《母狮之笼》（*The Cage of the Lioness*）等剧本。然而从1870年到1910年这四十年中，有一种通俗的短剧（Género Chico）流行着，这事实，一方面使西班牙戏剧趋向真实之路，使它在民间普遍流行；另一方面把剧本分割为片段，使它离文学之域，功罪各有。但当爱芝葛兰的剧本不大盛行的时候，出了一位伟大的近代剧作家贝纳文特。

贝纳文特（Jacinto Benavente，1866— ）是马德里一位医生的儿子，他用各种各样的形式写剧本，结构特别巧妙，只是喜用冗长的对话，缺少动作，在维加、卡尔德龙之后就算他是最杰出的一人，剧中所表现的常是个人和近代社会近代文明的关系。1922年得诺贝尔文学奖金。他对小孩子特别感兴趣，曾为孩子们建设剧场，并写了许多儿童剧，他的观察以本国都会为出发点，远及法、意、比等国，对欧洲各国近代作家的作品都有相当的认识。他的代表作为讽刺剧 *El Dragón de Fuego* 和象征诗剧 *La Noche del Sábado*，都是暴露当时西班牙都会上赌场的罪恶。写实剧 *Señora Ama*，介乎写实和奇情之间的有 *La Princesse Bebé*，写 Princess Helena 背叛的故事；*La Escuela de la Princesse* 写 Princesse Constanza 背叛又投降的事迹。使他成名的作品是《创造的利益》（*Los Intereses Creados*）、《恶爱》（*La Malquerida*）、《秋天的玫瑰》（*Rosas de Otoño*）等，不过他几十年的创作，时有进展，既难分出时期，也难确定他的思想，一般说他是西班牙近代的第一个写实主义的剧作家。

到了二十世纪，象征剧和诗剧特别盛行，这里可以举出几位代表来：

西爱拉（Gregorio Martinez Sierra，1881—1947）和贝纳文特一样生于马德里，在剧作上并不弱于他。贝纳文特以巧妙的结构阐明自己的观念；西爱拉则以诗的精妙吸引人，像《西班牙的唐璜》（*Don Juan de España*）一剧虽然幕数有七幕之多，距离的时间也很长，但我们看不出它的松懈和散漫。他的 *Primavera en otoño* 是有意和贝纳文特《秋天的玫瑰》一较高下的作品，他的《摇篮曲》（*The Cradle Song*）也很有名。

此外为马昆那（Eduardo Marquina，1879—1946），大胆地

摒弃了一切舞台上的惯技,力求结构的完善和诗句的美丽,近年来颇受一般观众欢迎。由 *Las Hijas del Cid* 等作品中都可以看出他的诗才。戴加杜(Jacinto Grau Delgado,1877—)、薛尔华(Ramon Goy de Silva,1888—)等也都是有名的作家。西班牙近年的戏剧蒸蒸日上,前途也大有希望。

七 德意志

近代的德国戏剧须自十八世纪说起,因为从1576年汉沙希(Hans Sachs,1494—1576)死后,到十八世纪末莱辛初次尝试作剧的二百年中,德国的戏剧文学无可称者。原因是在十七世纪连年的战争,不只戏剧,一切文学艺术都被战争的火焰熏死了。到十八世纪,才有那模仿法国鲍阿罗而著《批评诗法》的高慈特(Gottsched),鼓吹优良趣味,努力改良诗剧,且作了一些剧本。这总算是开端,直到莱辛,才真正是新戏剧的前驱,接着又有歌德和席勒,造成了盛兴的局面。

莱辛(G.E.Lessing,1729—1781)是牧师之子,幼年在曼森(Meissen)国立学校念书时(1741—1746)功课很好,且已有处女戏剧 *Der Junge Gelehrte*,1746年以后进勒普齐(Leipzig)大学学神学,和女优诺勃琳(Neuberin)相识,研究文献学和美术，1755年写成德国最初的布尔乔亚派的悲剧《萨拉桑森小姐》（*Miß Sara Sampson*），在德国舞台上有着划时代的重要性。1765年任某将军的秘书，作喜剧《明娜》，即《军人之福》（*Minna von Barnhelm*），这是德国第一本良好的喜剧。到了1766年，他专心于论述诗和绘画之别的《拉奥孔》（*Laokoon*）的述作。歌德说："莱辛的《拉奥孔》，使我们由枯窄可怜的观察点转移到自由思想的田地。"1767年至汉堡，任德国国民剧场的编剧者，为演剧批评家而活跃，成为当时德国剧的典范，攻击法国剧而提倡莎翁剧，由此奠定了德国剧的基础。一篇《汉堡剧评》（*Hamburgische Dramaturgie*，1767—1769），就是这时期的产物。1776年和柯尼（E.König）结婚。1772年写成《嘉绿蒂》（*Emilia Galotti*），不久和汉堡的牧师哥采（J.M.Goeze）起宗教上的论争，发表了一些论文。1778年作极有力量的《哲人娜桑》（*Nathan der Weise*），以一枚戒指比耶、回、犹三教，认为各教各有存在的资格。他是德国国民文学的开山祖，且是一代文明的批评家，他除攻击法国剧和倡导莎翁剧外，主张戏剧必须显示真正的人生，悲的结局必须是自然的演变而成，重在同情而不在令人震惊，并拿自己的剧本来证明所描写的必须是一般普通人的经验，必须舍弃虚构的浮夸的题材，必须真实诚挚。他自己的剧本极宜于舞台演出，人物的言辞动作都是真实人的言辞和动作，且趣味浓而力量强。

歌德（J.W.Goethe，1749—1832）使德国文学吐万丈光芒照耀于世界。他有优越的天才，良好的家庭环境，少时即受艺术及语言学的教养。歌德作剧重性格描写，而轻剧情结构，所以他的剧宜于读而不宜于演。十八九岁时即作喜剧 *Die Laune des Verliebten*（1768）及 *Die Mitschuldigen*，二十四岁时即加入法国古典派和英国浪漫派的论争，写了一本中古传奇的散文悲剧《贝里欣根》（*Götz von Berlichingen*，1773），这显然是受了莎士比亚的影响，由此在狂飙派中即出人头地。诗人的名为全德国全欧洲所知，也是因此剧及1774年出的《少年维特之烦恼》。这时期是酝酿时期，不朽的名作《浮士德》（*Faust*）的伟大计划，也是由这时起的，以后或作或停，花了好几十年工夫，才完成。另一方面跟银行家之女丽丽（Lili，即Elisabeth Schonemann）恋爱、订婚，但未至结婚，对于她或对于过去的爱人——牧师之女莩勒德丽克的心境，都表现于这时期的抒情诗及《克拉维歌》（*Clavigo*，1774）、《史推拉》（*Stella*，1775）等剧之中，后来又写了《伊非琴尼亚在塔里斯》（*Iphigenie auf Tauris*，1787）、《哀格蒙特》（*Egmont*，1788），喜剧《塔克脱塔素》（*Torquato Tasso*，1789）等剧。

他的剧最有名的当然是《浮士德》，至1831年完成，共两卷。关于此剧，在十六世纪时出现了好几种《浮士德》的故事，和德国的故事最相近的是1589年马罗的《浮士德》剧本，由英国的旅行喜剧团又传回德国，以后变为傀儡剧。歌德在小时看傀儡戏，才得到这故事。他和莱辛都想采用来写剧本，莱辛只讨论了结构，歌德却于八十一岁时完成，其间经过达十七年之久。此剧规模宏大，情节复杂，作者的人道精神，峻严贯彻，至于诗句的华赡，是其余事，所以后世人拟之于荷马的《伊里亚》、但丁的《神曲》、莎翁的《哈姆雷特》，同为世界文学的宝典。

席勒（F.Schiller，1759—1805）是和歌德并称的世界大文豪，在戏剧上更有伟大的成就。他小于歌德十岁，但两人交游极密，环境不如歌德之优越，少时在维登堡（Württemberg）大公直辖的学校受严格的教育，二十岁时当宪兵团的医官，后从事文学，写了许多思想诗，并译了许多诗。半生飘零各地，和贫苦争斗。在作剧上说，席勒的剧长于性格的描写，长于情节的结构，所以他的剧宜于舞台上表演。在诗才上说，不如歌德；在剧艺上说，优于歌德。十八岁时发表充满反抗压制的郁勃自由之精神的诗剧《强盗》（*Räuber*，1781），在马哈姆（Mannheim）上演，一跃成名。但歌德认为这只是虚饰的文字和感觉的表现，可是席勒却因此剧为乡里所不容，至于过那流离困厄的生活。翌年出《斐蔼斯科》（*Fiesco*，1782），未获成功。1783年出《阴谋和爱情》（*Kabale und Liebe*），成功了。以后的作品更成熟而有价值，如《堂卡罗斯》（*Don Karlos*，1787）不仅轰动德国，且传名于外国。十二年后出诗体三部曲《瓦轮斯丹》（*Wallenstein*，1799），此剧在歌德指导下上演，得空前绝后的成功。翌年出《马利亚斯图特》（*Maria Stuart*，1800），接着出《奥尔良小女》（*Jungfrau von Orleans*，1801）及《麦息那的新妇》（*Die Braut von Messina*，1803），最后完成社会最完美的剧《威廉退尔》（*Wilhelm Tell*，1804）。席勒真正的最后所写的是一个俄国历史悲剧*Demetrins*，未完成而逝世。

歌德和席勒在德国的诗坛上的地位之高，后此是没有人可比并的；但在浪漫主义运动的时代，还可以举出几位次要的人物来。

克林格（M.Klinger，1752—1831）的作品固不多，但连"狂风暴雨时代"之名也由他那1775年所作的剧本《狂风暴雨》（*Strum und Drang*）而起的，他便是这运动的急先锋，其他作品我们知名的是《孪生兄弟》（*Die Zwillinge*，1776）。

克来斯脱（H.von Kleist，1777—1811）的父亲是普鲁士

的参谋中队长，所以他在1792年即入普鲁士近卫步兵第一联队，1797年升少尉，1799年退伍，进弗兰福大学研究哲学和物理学。因研究康德的哲学，人生观上起了震荡，同威林米纳（Wilhelmine von Zenger）订婚，仅两年即解约。1802年开始写悲剧《罗伯基斯卡特》（*Robert Guiskard*），未完成。后过放浪生活，终于自杀。他虽属浪漫派，却带近代的写实的倾向，是装饰德国戏剧史的鬼才，可以和歌德、席勒相颉颃，惜自知太晚，自期过大，致终生潦倒。他的主要的剧本为悲剧《潘塞西利亚》（*Penthesilea*，1808），此剧剧情为纯古典的，作风为浪漫的，描写及用语又为纯写实的。另有骑士剧《小卡特》（*Das Kätchen von Heilbronn*，1810）、《碎缸》（*Der Zerbrochene Krug*，1811）、《洪宝亲王》（*Prinz Friedrich von Homburg*，1810）等；还写了许多小说。他是浪漫派中最伟大的作家。

格利帕齐（F.Grillparzer，1791—1872）是奥地利戏剧家，少学法律，1813—1856年期间做官，初追浪漫派的足迹，后发挥古典的美。最初的剧作为《远祖妣》（*Die Ahnfrau*，1817），是运命悲剧，不脱浪漫派气味。三部曲《金羊皮》（*Das goldene Vlies*）（1.*Der Gastfreund*、2.*Die Argonauten*、3.*Medea*，1822）、《莎福》（*Sappho*，1817）

及《情海波浪》(*Des Meeres und der Liebe Wellen*, 1831),都以古希腊传说为题材;较近代的剧本为《奥托卡王的得意及下场》(*König Ottokars Glück und Ende*, 1825),其他还有《梦里生涯》(*Der Traum, ein Leben*)、《悲哉说谎》(*Weh dem, der lügt*)及《妥勒特的犹太女子》(*Die Jüdin von Toledo*)等。

挽救了德国剧的堕落的,是近代写实派戏剧运动的先锋赫伯尔,有"易卜生以前的易卜生"之称。

赫伯尔(C.F.Hebbel,1813—1863)是贫穷的砖瓦工人的儿子,十四岁时在教区长那里当书记,1834年得保护人助,乃至汉堡,赖忠实的女友冷晶(Elise Lensing)帮助,到各大学去听讲。1840年出《犹太》(*Judith*),翌年出《纪诺未那》(*Genovena*),性格描写极卓绝,既富热情,而又有冷静的反省力。1843年得丹麦王的奖金而赴巴黎,翌年写了市民悲剧《马利亚·马格达琳》(*Maria Magdalena*)。这时期他和冷晶所生的长子夭亡,他悲哀甚。不久和女优英哈司(Christine Enghaus)结婚,他的贫困生活于此时告终,且其创作也进入了第二期,主要的作品为 *Der Diamant*(1847)、*Herodes und Marianrne*(1848)、*Ein Trauerspiel in Sizilien*(1845)等剧,平静而冷涩。到1850年,他的作品又进一步,描写崇高优丽，这是他的第三期，有《米克兰基罗》（*Michel Angelo*，1852）、《阿格尼斯柏瑙》（*Agnès Bernauer*，1852）、《季革斯及其指环》（*Gyges und sein King*，1853）、《尼勃龙琪》（*Die Nibelungen*，1857）。其他还有诗集和短篇小说，剧本最著名的是《季革斯及其指环》。赫伯尔作剧多用散文，人以为他不能诗，及诗剧《尼勃龙琪》出，人各惊异其诗才之高。他确是提倡散文剧的人，作品为后来的易卜生奉为规范。

卢特威（Otto Ludwig，1813—1865），初志在音乐，稍能作曲，后因病中辍，遂专从事文学。有悲剧二，颇有价值，一为《世袭林官》（*Der Erbförster*，1850），二为《马卡巴人》（*Die Makkaböer*，1852），还作了许多剧，惜都未完成。

安辰格鲁柏（L.Anzengruber，1839—1889）早丧父，家贫困，当过商店学徒、旅行剧团演员、警察、书记等。1870年四幕民众剧《启尔喜斐德的牧师》（*Der Pfarrer von Kirchfeld*）上演成功，一跃成名，翌年起完全从事文学生活。这作品为教会的强调自由主义的民众剧，可说是写实主义的先驱的作品。他的剧作共有二十篇左右，最著名的为《画十字者》（*Die Kreuzelschreiber*，1872）、《伪誓农人》（*Der Meineidbauer*，1872）、《双自杀》（*Doppelselbstmord*，1875）。

何尔兹（Arno Holz，1863—1929）及许拉夫（J.Schlaf，

1862—1941）是所谓"彻底的自然主义"（Konsequenter Naturalismus）者，两人合作许多剧，有名的是《塞力克的家庭》（*Die Familie Selicke*，1890）。他们的文学的理论及革新的形式，影响到勃拉姆（Otto Brahm），1889年建设了"自由舞台"（Freie Buhne），这小剧场运动使近代剧日趋隆盛，把霍甫德曼等新进大作家一一推荐到世界剧坛上来。

霍甫德曼（G.Hauptmann，1862—1946）的哥哥是小说家。他自己也是剧作家兼小说家。初有志于雕塑，故入美术学校。跟富裕的嫂嫂的妹妹结婚，经济得以独立。他最初文学的试作是理想主义的东西，到1889年因何尔兹而知道了"彻底的自然主义"的理论，作《日出之前》（*Vor Sonnenaufgang*），许多同样倾向的作品如《和平祭》（*Das Friedensfest*，1890）、《织工》（*Die Weber*，1892），尤其后者，是他的代表作。独创以群众为主人公，写劳资两阶级的纠纷。有喜剧《海狸之皮》（*Der Biberpelz*，1893）等。1896年将自然主义的手法应用于史剧，作 *Florian Geyer*，但当时的时势需要新浪漫派或象征派的东西，他便尝试写成《汉尼勒的升天》（*Hanneles Himmelfahrt*，1893）、《沉钟》（*Die versunkene Glocke*，1896）、《可怜的亨利》（*Der Arme Heinrich*，1902）、《匹帕跳舞》（*Und Pipa Tanzt*，

1906）及其他梦想的象征的或儿童的剧本。另写些自然派的作品如《车夫亨瑟尔》(*Fuhrmann Henschel*，1898)、《士鲁克和莐》(*Schluck und Jau*，1900)、《红鸡》(*Der rote Hahn*，1901)、《洛塞本德》(*Rose Bernd*，1903)等。这时期又写了一些写实的或古典的杰作，如《皮斯修夫斯的少妇》(*Die Jungfern von Bischofsberg*，1907)、《迦伯列希令的逃走》(*Gabriel Schillings Flucht*，1912)、《奥特塞之弓》(*Der Bogen des Odysseus*，1914)、《白人的救主》(*Der weisse Heiland*，1919)等。他一共写了几十个剧本，在自然主义和印象主义的作剧术支配着德国舞台的时期，最明确的代表者便是他。

苏德曼（H.Sudermann，1857—1928）和霍甫德曼同为自然主义戏剧界的泰斗。幼年因家境贫寒，生活劳苦，十八岁始往柏林大学习哲学和语言学，卒业后当新闻记者，先以小说出名，后努力剧作，1889年《名誉》(*Die Ehre*)一剧出，更名噪于时，便成为德国伟大的剧作家之一了。1890年出《苏东的结局》(*Sodoms Ende*)，1893年出《故乡》(*Heimat*)，1895年出《暗中幸福》(*Das Glück in Winkel*)等。共写了近二十个剧本，其中有七个是独幕剧，以上所举为其名作。他的诗才不及霍甫德曼，但结构技巧更优，所写人物虽不是典型的，却都是实际社会中可以认得清楚的人；思想上受尼采、叔本华的影响，而剧中喜欢研究社会问题及妇女问题，因他具有近代观念。

以上两人之外，名剧作家还有很多，在此只举较伟大的，如从自然派过渡到象征派之间的作者显尼兹劳、纯然属象征派的霍夫曼斯塔尔、新古典派的史密德朋、印象派的苏尔兹、从自然派到表现派的卫德钦特及表现派诸人。

显尼兹劳（A.Schnitzler，1862—1931）生于奥地利的医师之家，初业医，后从事文学。所作剧本有名的为《安那托尔》（*Anatol*）、《可怜的姑娘》（*Saures Mädel*）、《恋爱三味》（*Liebelei*）、《循环》（*Reigen*）、《绿鹦鹉》（*Der Grüne Kakadu*）、《伯特丽的面帕》（*Der Schleier der Beatrice*）、《寂寞之道》（*Der einsame Weg*）、《广国》（*Das Weite Land*）、《青年梅达杜司》（*Der Junge Medardus*）、《卡沙拿法》（*Cassanova*）、《最后之假面》（*Die Letzten Masken*）等。他的作品的特色，是有浓厚的地方色彩，趣味轻松，一般人都能鉴赏，又不流于粗俗。他虽属于新浪漫主义派，但已把此派的艺术开始转向写实方面去，所以也有人把他的作品放在自然派里。

霍夫曼斯塔尔（Hugo von Hofmannsthal，1874—1929）生

于维也纳，为奥地利大诗人。初学法律，不久即弃而从事文学，十八岁时已匿名发表抒情的戏剧，试作 *Gestern*，世人对此作甚表惊异。他是所谓德意志新浪漫派的骁将，努力以音乐的美词丽句和丰富的比喻象征再现微妙的气氛情调，因为他的感受性强，造语才能高。不过他的剧作以表情概其叙事，缺乏斗争的力度，只充溢着抒情的美，名作有《愚人和死》（*Der Tor und der Tod*，1893）、《爱勒克托》（*Elektra*，1903）等。

史密德朋（W.Schmidtbonn，1876—？）是所谓情热剧（Dramen der Leidenschaft）的作家，却欲挽颓风，力追古人，过于雕琢，致失自然。名作有《失去之子》（*Der Verlorene Sohn*，1912）、《被占领者之城》（*Die Stadt der Besessenen*，1915）、《被打者》（*Der Geschlagene*，1921）等。

苏尔兹（Wilhelm von Scholz，1874—？）将其印象所得，依其特种的幻想力，使之成为过去和眼前生活中的反照。名作有《君士坦士的犹太人》（*Der Jude von Konstanz*，1905），写人因畏生而愿赴死；《麦洛厄》（*Meroe*，1906），写一女人愿毒夫杀身以赦死。他那表明对戏剧之主张的书《戏剧论》（*Gedanken Jum Drama*，1905，续篇1915）是一部重要的论著。后来的倾向稍变，试作浪漫的作品。

卫德钦特（F.Wedekind，1864—1918）处在自然主义全盛的时代，但不受影响，自己走着独自的路。他认为人生一切的根本的原动力是性的冲动，人在这威力之前，显得完全无力，这思想是他的艺术的基调。剧本的选材和立意合乎自然派。他的最有名的作品《春之觉醒》（*Frühlings Erwachen*，1891），描写病态青年的心理，这剧本现在还是值得注意的。在《地灵》（*Erdgeist*，1895）及《潘达拉的箱子》（*Die Büchse der Pandora*，1904）两剧里，描写以肉体美引诱男性的恶魔似的女性，当时不仅被禁止上演，且禁止出版。其他名作有《开将侯爵》（*Der Marquis von Keith*，1900）、《音乐》（*Musik*，1909）、《海拉克勒》（*Herakles*，1918）等。除此外，还有许多论文和小说。

现在要说到表现主义（Expressionismus），表演派在戏剧上发挥了特色，有两种特殊的名称：一是所谓"自己告白剧"（Ich drama），就是要深入薄暗的灵魂的深处，探索自己，告白自己，剧词即为梦中无意识地叫出来的呓语；一是所谓"叫唤剧"（Schrei drama），这和前者没有什么大异，意思是灵魂的直接表现，常感觉词调的困难，于是不得不用叫喊代之，这便是心灵的叫唤，这便是生命的欢喜，灵魂的原始语。在此可举几位代表的作家来叙述。

凯石（G.Kaiser，1878—1945）是表现主义的剧作家，也可说是未来主义的剧作家。他的作品很多,题材也是多方面的,对提示敌对资本主义的意德沃罗基和资本主义之特性的形式的结合,十分足观。他的三部曲中便显示了这两重性。一部《珊瑚》(*Die Koralle*,1918)和两部《瓦斯》(*Gas*,1918—1920),尤其后二部,不只一气连贯,且是由同一家表示三个时代的三个主人公所结成的。登场人物一概没有名字,只用大富豪、工人、白衣绅士、黑衣绅士等名称;用语和语法有极端力学性的印记,言语的律动(Phythmus),令人联想到机械的齿轮的运动和水车叶的回转。其他的名作有《卡莱的市民》(*Die Bürger von Calais*,1911)、《自清晨到夜半》(*Von Morgen bis Mitternacht*,1918),写朝露似的人生不足以敷幸福的探求。《被救的阿尔契巴德》(*Der Gerettete Alkibiades*,1920),写苏格拉底的视死如归。《并行》(*Nebeneinander*,1923),写芸芸众生不相连续的真相。其他作品还很多,从略。

托勒(Ernst Toller,1893—1939)是实践革命者,曾因政治关系坐过五年监狱。有关民众解放、无产阶级的运命、近代机械文明悲痛的反逆、人间性还原的渴望,在托勒的作品中有强烈的共鸣。重要的作品有《转变》(*Die Wandlung*,1911—1918狱中)、《机械破坏者》(*Die Maschinenstürmer*,1920—

1921）等。

哈森克勒茀（W.Hasenclever，1890—1940）除《抒情诗集》二卷外，写了许多戏剧，使他驰名的是《儿子》（*Der sohn*，1914）一剧，其他名作有《安蒂哥尼》（*Antigone*，1917）、《人类》（*Die Menschen*，1918）、《彼方》（*Jenseits*，1920）、《哥布塞克》（*Gobseck*，1922）等，乃是打倒现状努力新建设的戏剧。

其他如温鲁（F.V.Unruh，1885— ），也是这派的名作家。

八 斯堪的纳维亚

欧洲各大国脱离了拉丁语统治，各以自己的国语建立国民文学的时候，斯堪的纳维亚半岛还是未脱去拉丁语的支配，自从古代的萨加（Saga——老伊达、新伊达，即冰岛所存的萨加）以后数世纪，还没有像著作萨加那样的人出现。能用本国语著作，即有名的瑞典哲学家斯威顿堡（Emanuel Swedenborg，1688—1772）等所著的书，还都是用拉丁文写的。同时，这半岛上人的天才和创造力，在新国语未完成之前，倒着实在萨加上显示过，只是后四百年间在文学上没有产生什么伟大的作品罢了。

在历史上有联络的斯堪的纳维亚半岛的丹麦、挪威、瑞典三国，首先树立国民文学的还是丹麦，因为在十九世纪以前，丹麦和挪威还是合为一国的，当时丹麦是统治国，半岛的教育和文化中心地是哥本哈根（Copenhagen），挪威的学者也都聚集于该地，丹麦的文学建立，这些挪威人实在出了很多力量。这里我的叙述，依然按丹麦、瑞典、挪威三者的顺序。

何尔堡（Ludvig Holberg，1684—1754）是丹麦新文学的开拓者，也是喜剧的鼻祖。他是生于卑尔根（Bergen）的挪威人，1702年进哥本哈根大学。十八世纪前的丹麦文学只有小调和赞歌，不只无杰出的文学作品，甚至连语言都没有确立。何尔堡几次旅行欧洲各国，他除用丹麦语著历史、法律、政治、科学诸书外，还写了形式完备、材料丰富的诗歌、小说、戏剧。他的幽默小说《彼特巴尔》（*Peder Paars*）是丹麦第一部古典作品。剧本也有三十六篇，促成国民剧场的设立。他长于处理市民公务员，描写性格甚巧妙，以法国的莫里哀为师，故有"丹麦的莫里哀"之誉。在哥本哈根大学任形而上学、修辞学、历史学等教授，以介绍丹麦的乡村思想和欧洲文坛做更亲密的接触为己任，1747年依功授男爵。在剧本上说，他是介绍农民进剧本的人，他的农民剧《山上的耶班》（*Jeppe of the Hill*）和《伊拉司麦斯·蒙太纳斯》（*Erasmus Montanus*）逼真、幽默，的确是佳作。

爱瓦尔德（J.Evald，1743—1780）的父亲是教师。他十一岁进学校，屡次逃学，终在军队当下士，后归故乡为神学士，生涯悲惨，仅活了三十七岁。他以古代神话作诗，为开后来传奇派的先驱者。剧作并不少，最好的是他的散文悲剧 *Rolf Krage* 及诗剧《波尔台之死》（*Balders Death*）。

奥伦士拉格（A.Ohlenschläger，1779—1850）的父亲是德国人，但他生在哥本哈根，可说是丹麦浪漫运动的领袖，被国人一致承认为丹麦的第一个诗人，有人誉之为"斯堪的纳维亚的诗王"。他的一切作品有感伤的抒情的成分，但驱逐十八世纪一般的趣味，将古代北欧的题材用入文学，建立了国民文学的基础。作剧方面，他从德国的歌德和席勒那里获得了灵感，但不模仿他们的风格和内容，取材于本国的古代传说写成许多浪漫的剧本和小说。1805年作剧本《阿拉亭》（*Aladdin*），这是欧洲文学杰作之一。在德国住时拜访过歌德及其他文人，那时（1809）他写成了他的杰作悲剧《哈觉伯爵》（*Earl Hakon the Mighty*）及《珂勒琪奥》（*Corregio*），以后还写了很多，如 *Stärkodder*（1812）、*Varingerne i Miklagaard*（1827）、*Tordenskjold*（1834）、*Sokrates*（1836）、*Dina*（1842）等。他的精神一半是古典的，一半是爱国的，作品都极富诗意，使本国语言有一种清新的雅趣，更予以前此未有的悲剧的高贵性。

彼得·海勃（Peter A.Heiberg，1758—1841）写了许多喜剧，著名的是《航行向中国者》（*The Voyager to China*）。他因为思想及剧词过激，1799年被放逐而去巴黎。

在十九世纪出了很多剧作家。童话之王安徒生（Hans Christian Andersen，1805—1875）也作剧，他的第一个剧本是讽刺武侠的滥调，以后接着写了许多童话剧、喜剧和浪漫剧，在当时都相当成功，不过他的名被童话掩蔽了。

小说家英格曼（B.S.Ingemann，1789—1862）除写诗歌、童话、小说之外，也作剧，1815年所作的*Masaniello*、*Blanca*两篇剧本，大受民众欢迎。

约翰·海勃（Johan L.Heiberg，1791—1860）是彼得·海勃之子，既是剧诗人，又是文学史家、哲学家，将黑格尔的哲学移入丹麦。1819—1822年在巴黎研究法国戏剧，尤其尊重Vaudeville（短歌剧），写附带音乐的日常生活的喜剧。1830—1836年任陆军大学之美学教授，1849—1856年任王立剧场监督。1826年所作《论为剧诗之一种的短歌剧》（*Om Vaudevillen Som Dramatisk Digtank*）一文，讲勃兰兑斯以前支配文坛的艺术原理，他非难浪漫派的无形式的批评，而建立系统的批评。作品有《妖怪的山》（*Elverhøi*，1828）、《乌拉跳舞去了》（*Ulla Skal PaaBal*，1839）等，有愉快的幽默和诗人欢喜的人物；《死后的灵魂》（*A Soul after Death*）一剧讽刺当时的好尚，颇有阿里士托芬的风格。所用题材有童话、传说和时尚的生活，有很多成功之作。

德拉哈曼（H.Drachmann，1846—1908）最初是海洋作家，1877年以《越过国境》（*Derovre fra Graensen*）得奖赏，因而完全变为文人。作品是多方面的，诗、小说、戏剧都写，有六十多篇，长于描写海洋风景和水手渔夫等人物，想象极丰富，自传小说《圣火》（*Den Hellige Ild*，1899）多空想的成分。他最初是革命的急进的文学者，后变为国民的保守的作者。1885年所写戏剧*Der Var Engang*在舞台上极获成功。

威特（Gustav J.Wied，1858—1914）最初带着几分自然主义的阴影，后来完全变成何尔堡所遗留的传统的喜剧之继承者，三十多篇小说戏剧都是这样。他的诙谐质朴而亲切，最能代表那人数最多的中产阶级。他把一些傻家伙放在舞台上，使他们尽闹笑话，尤其刻毒地挖苦那世俗的假客气。作品以《四部喜剧》《弱性》《二二为五》等为最有名；小说以《家庭》和《吃葡萄的父亲们》为著。

葆格希德罗姆（Hjalmar Bergström，1868—1914）是近代

问题剧（Problem Plays）作家，所作讲两性问题的《卡伦波奈门》（*Uaren Bornemann*）及讲资本和劳动交战线上一个恋爱故事的《林格阿尔特公司》（*Lyngaard and Company*）很有名。

安玛·嘉德夫人（Mme.Emma Gad，1852—1921）是现代多才多艺的女作家，写诗歌、戏剧、政治论文，一篇喜剧《金雀》（*The Golden Bird*）极有名。

挪威跟丹麦是分不开的，到十九世纪中叶在政治上始分离，文学上才建树独立运动。从这时期起，开始有它自己的文学，直到近代剧鼻祖易卜生出，挪威文学踏上了光明灿烂的路。在易卜生之前，也就是说挪威文学的先驱者，则有两位诗人魏格兰和魏尔赫文，前者是雄劲善辩的革命者，后者是稳健明晰的运动者。

因为易卜生和般生是挪威人，所以戏剧在挪威算是最有异彩的东西。

易卜生（Henrik Ibsen，1828—1906）的父亲是世建（Skien）小海港的小商人，他的家世系统混着德意志、丹麦、苏格兰的血统，他幼小时身体羸弱，但极勤奋。1842—1850年之间都在一个药铺里当学徒，这时期为作诗的热情所驱使，尝试着作史剧《卡弌丽娜》（*Catilina*，1850），未获成功。本来已做入大学的准备，这时更决心到首府克罗斯却尼亚（Christiania）去进大学用功，但这时认识了般生。受法国革命的影响，各地方的自由平等主义和共和主义都抬头，他接受了此种感动，苦心要去追求社会问题的解决，故对于求学又起变心，写成《勇士之墓》（*Kjaempe Højen*），遂为文坛认识。1851年冬，被卑尔根新建的国家戏院聘为"剧院诗人"（Theater poet），写了五篇浪漫的剧本。1857年复到首府，任挪威国民剧场的导演，翌年发表《海格伦特的战士们》（*Haermaendene Paa Helgeland*），接着于1862年出《恋爱喜剧》（*Kjaerlighedens Komedie*），声誉鹊起，被公认为前此未有之大戏剧家了。1864年写了《仇侣之王》（*Kongs-Emnerne*），因为新思想不为社会所容，致剧场破产，负债日增，遂愤然携妻子离国至意大利，客居于罗马郊外，而写了《白朗德》（*Brand*，1865），并写《彼尔京德》（*Peer Gynt*，1867）批判祖国的文化。1868年移住德国而卜居于特莱斯丁，制作《青年党》（*De Unges Forbund*，1869）及《皇帝和加利利人》（*Kejser og Galilaeer*，1873），文名更高。1874年夏天归访祖国，旋又返特莱斯丁。1877年作成《社会栋梁》（*Samfundets Støtter*），翌年移住罗马。1879年《玩偶之家》（*Et Dukkeheim*）一出，便成为世界的大戏剧家，接着发表许多杰作，如：《群鬼》（*Gengangere*，1881）、《国民公敌》(*En Folkefiende*,1882)、《野鸭》(*Vildanden*,1884)、《罗士马庄》(*Rosmersholm*,1886)、《海上夫人》(*Fruen fra Havet*,1888)、《海妲传》(*Hedda Gabler*,1890)等。他那舞台的技巧和革命的思想,渐次压倒世界剧坛。1891年终止了二十八年在国外流浪的生涯,被祖国当作大作家迎接回去。后此更写了《建筑师》(*Bygmester Solness*,1892)、《小约尔夫》(*Lille Eyolf*,1894)、《约翰·加勃利·仆克曼》(*John Gabriel Borkman*,1896)及最后一作《我们死人再醒时》(*Når Vi Døde Vaagner*,1899),创作生涯,于此终结。七年之后以七十八岁的高龄逝世。其子西哥特(Sigurd Ibsen,1859—1930)也是政治家兼剧作家,1892年和般生的女儿结婚。易卜生的创作史普遍都分为三期:第一期终于1877年的《社会栋梁》,这时期的重要作品是三部用诗写的历史剧——述一个人未能将日常机械生活和心灵生活调整好的《白朗德》,述反对基督教故事的《皇帝和加利利人》,描写一位没有忠、信、恒、毅者心里的战斗的《彼尔京德》;另有叙述政治原理、自由思想和社会的不公平的《青年党》,据说此剧初次上演时,赞成和反对两派观众的叫嚣情形和雨果的《欧那尼》上演时同样,混乱的结果,还引起当局的干涉。《社会栋梁》是他第一个传遍全欧的剧本,展示给我们一个金玉其外、败絮其中的社会。易卜生从这剧始脱离了浪漫主义和法国剧的机械技巧的束缚。进入第二期写些攻击社会的剧本，技巧更圆熟，思想更正确，这一期的重要作品如《玩偶之家》《群鬼》《国民公敌》。第三期则是偏重于精神方面的，大部分是象征剧，如《建筑师》《我们死人再醒时》等。在作剧技术上有一点值得我们注意的，他直接追踪索福克勒斯的方法和亚里士多德的原理，复活了"三一致律"的运用，自第一期作品后放弃诗而改用散文写剧。他终生主张个人的自由，为打破挪威甚至世界的习俗而战斗，勃兰兑斯分析他的作品所表现的问题有四类：

（一）宗教问题　相信宗教之力是自然的、相信宗教之力是超自然的问题。

（二）新旧思想　关于过去和未来、老年和少年、旧和新的问题。

（三）社会阶级思想　关于高下、贫富、势力有无的问题。

（四）两性问题　男女两性相互间的社会关系，尤其关于解决妇女经济、道德及知识的问题。

正如白琳嘉所说:"在整部戏剧史里,像易卜生那样的人简直没有几个,他的一生精力完完全全努力于戏剧,他的苦口良药的贡献,将舞台转了一个完全不同的方向。"

般生(B.Bjørnson,1832—1910)实是挪威第一位戏剧家,和易卜生是同学,在这方面的成就不及易卜生之伟大,故我的叙述反放在易卜生后。他的父亲是僻村的牧师。1852年毕业于大学,由记者生活开始,文才成熟较迟。初作诗,觉得不够发挥自己的天才,转而写剧评,还觉得这两事都不够发泄怀抱,于是创作剧本。第一篇短剧名*Valborg*,在排练中,自己发觉有未妥处,自动收回,有自我批评的严格精神。后以写小说而成大名,但写剧本的天才也同时流露。他正式发表剧本从1846年开始,都是历史剧,如《私生儿辛八》(*Sigurd Slembe*)和《斯佛莱王》(*Kong Sverre*)等。1857年任卑尔根剧院监理。1865年到1867年任首府的剧院监理。他的第一本名喜剧《新结婚的一对》(*The Newly Married*,1865)出来,便开始了他的社会剧创作。他的最著名而且最成功的剧本是《新闻记者》(*Redaktøren*,1874)和《破产者》(*En Pallit*,1875),由此二剧,作为戏剧家之名得与易卜生并称。1879年接连发表两篇反对旧社会组织和旧宗教的剧本,就是《雷奥拿达》(*Leonarda*)和《新制度》(*Det Ny System*),因稍激烈，受人反对，致不能在本国久住，被迫往外国。1883年作《挑战的手套》（*En Handske*），不能上演，第一次是在挪威境外演出。最后所写的两个剧本是1883年的《势力圈外》（*Beyond Powers*）和1905年的《当葡萄花开时》（*When the New Wine Blooms*）。他的剧本原富有人情味，但后来喜剧的成分渐多，恰和易卜生的阴郁成对照。他认为戏剧应该用本国题材，对话须简而有力，绝对摒弃冗长的独白。共著有二十多个剧本，易卜生还是受了他的影响的。他的多方面的活动，都站在国民的民族的立场上。他不只是个文学家，而且是国民文化的指导者，1903年得诺贝尔奖金。世界的声誉则不及易卜生。

接下来，说瑞典，这里仅举一人以概其一切。

斯脱灵堡（August Strindberg，1849—1912）生在一个穷苦的家庭里，父亲是小商人，母亲是下婢出身。幼时贫病交加，出了高等学校，进乌普沙拉大学（Uppsala University）研究自然科学，因须为生活奋斗，中途辍学，做过小学教师、医师、演员、图书馆员，一无成就。自1870年起为剧作家而出现。他的性格是神经质的、狂热的，家庭生活不幸，二十、四十、五十岁三次结婚离婚，终使他不幸福，所以成为深刻的人性观察者及妇女嫌恶者。职业和生活上如此多变，思想上也一样，于是他由基督徒变为无神论者，又变为社会主义者，最后又是唯心论者。在戏剧方面，自1872年出他的散文史剧《奥拉夫》（*Master Olaf*）起，为剧作家的声誉顿高，而也为瑞典文学开一新纪元。他的戏剧很多，兹为便利计，借用余心先生在《欧洲近代戏剧》中所列者：

小戏剧时代——二十岁至四十岁时（1870年前后至1890年前后）。

（一）习作：《赫迈奥尼》（*Hermione*）、《被摈弃者》（*The Outway*）、《奥拉夫》等。

（二）浪漫主义的：《秘密组合》（*The Secret of the Guild*）、《骑士倍孤德之妻》（*Sir Bengt's Lady*）、《幸运彼尔的漂泊》（*The Wanderings of Lucky Per*）。

（三）自然主义的：《父亲》（*The Father*）、《党人》（*Comrades*）等。

（四）独幕剧：（第一部）《朱麻叶姑娘》（*Miss Juliet*）、《债主》（*Creditors*）、《巴利亚》（*Pariah*）、《热风》（*Samum*）、《强者》（*The Strongest*）。（第二部）《连环》（*The Link*）、《戏火》（*Playing with Fire*）、《面对着死》（*Facing Death*）、《最初之警》（*The First*

Warning)、《借和贷》(Debit and Credit)、《母亲的爱》(Mother's Love)。

大戏剧时代——五六十岁时(1900年至1910年前后)

(五)三部曲《达马士革》(To Damascus)。

(六)《酩酊》(There are Crimes and Crimes)、《死的舞蹈》(The Dance of Death)。

(七)基督教祭典剧:《圣诞节》(Christmas)、《复活节》(Easter)、《仲夏节》(Mid-Summer)。

(八)《新嫁娘》(The Crown Bride)、《白雁》(Swan White)、《梦之曲》(The Dream Play)。

(九)小剧场的戏剧:《雷雨》(Storm)、《烧痕》(The Burned Lot)、《幽灵曲》(The Spook Sonata)、《毕利加》(The Pelican)。

(十)韵文戏剧:《阿薄·加斯姆的拖鞋》(The Slippers of Abu Casem)等。

他于1907年设立了多年所期望的小剧场,但因经济困难,仅维持三年,这影响却很大。他不只戏剧写得好,小说也写得好,1873年,发表小说《红屋》(The Red Room)就成为自然主义的表现之先驱者。1883年到法国去,翌年出短篇小说集《结婚》(*Married*)，而揶揄易卜生，引起诉讼，归国。1886年出《下女之子》，等于他的自序传，接着出《痴人的忏悔》，也是自序小说。1897年出《地狱》，1904年出《哥德式的房子》。

九　葡萄牙、荷兰、比利时

葡萄牙（Portugal）的戏剧原应归入西班牙一章叙述，旋因它和荷兰（Holand）、比利时（Belgium）同为小国，作者和作品都不很多，为便利计，也就将它们并为一章了。

虽说葡萄牙和西班牙紧挨着，文学的发展却比西班牙迟得多，因为它在1580年至1641年这一段期间都还在西班牙统治之下，以自己独立的语文创造文学的期间也不能不迟了。譬如说第一位葡萄牙剧作家维辛提，他的作品也还是以西班牙文写的为多。

维辛提（Gil Vicente，1465—1537）原是葡萄牙的戏剧家和国民剧的创始者，他作剧是用葡语或西语写的。全部作品中有十种用西班牙文写。1506年他的作品在王宫前上演，一跃成名。共写了四十四个剧本，起初模仿西班牙的安西那，后致力独创，观察锐敏，讽刺辛辣，抒情味浓，动作丰富，是他的剧本的特征。著作可分三期：第一期（1502—1508）多写宗教剧；第二期（1509—1515）受文艺复兴精神的影响而表现异教主义，在其宗教剧上可看到新的社会批判；第三期（1516—1536）正是发挥他的真价值的时代，产生*Barcas*、*Inês Pereira*、*Juiz da Beira*、*Celorico da Beira*等杰作，尤其是三部曲《船》（*Barcas*），使他获得哲学家的光荣，后来西班牙及葡萄牙的各大作家都受他的影响。

米兰达（F.de Sá de Miranda，1485—1558）学于里斯本大学，后来也就暂在该校教法律。年青时期以写诗为主（前已提及），1521年经西班牙游意大利，1526年归国上演了《异邦人》（*Estrangeiros*）一剧，和维辛提同是将文艺复兴精神首先移入葡萄牙的功臣。

在此只能举出以上两位来，现转而说荷兰。

荷兰在文学上占不了重要的地位，并不是荷兰人的低能，而是他们将精力放在艺术上了，尤其绘画的丰富是使人惊异的！这文学不盛的原因，也许是因为荷兰的文字未十分发达所致。十六世纪中，荷兰因宗教改革的影响，曾产生一大批辩论的文章，只是都用拉丁文写的，那时也有一些模仿罗马诗家的诗人。在当时不用荷兰文而用拉丁文写作的有两位伟大的人物：一是人文主义者伊拉斯姆，一是近代哲学建立者之一的斯宾诺莎。

现在，我们进而看比利时。比利时从1839年和荷兰分离，自成一国，反对荷兰风格的一切东西；文字则以法文和法莱米文（Flemish）为宗而排斥荷兰文，因之比利时文学的成就较荷兰为伟大，在国际文坛上占得极高的地位的也有诗人范尔哈仑和诗人兼剧作家梅特林克。

梅特林克（M.Maurice Maeterlinck，1862—1949）生于东部法兰特（Flander）的一小都会根德（Ghent），初入圣德堡大学学法律，1886年业律师，复去故国至巴黎，和当时法国德卡坛派及象征派诗人们交结，尤其受李耳·阿当姆（Adam，1838—1889）的象征主义的感化，1896年以来专从事著作。最初发表一文名《无辜的屠杀》（*Le Massacre des Innocentes*），已表现他的运命观的神秘主义。他以为现存的世界不过是不可见的世界的假面，我们的行为、思想、感情也不过是外观，在无意识、不可知之中才有着真的现实。也就是说，在朦胧的潜意识的世界才是人生的真意义所存的部分，最高绝对的生命存于看不见的神秘境中，这种神秘境不能由我们的五官感知，但和我们心灵的生活密结，不能用言语和思想的力处理它，只能由沉默使和灵界交通，人类之真的心灵是在沉默之际表现出来的，死便是沉默之最大者。所以他作神秘的象征剧为现代剧开拓一新途径,他为暗示不能在外界动作上表现的神秘的世界起见,改变从来以"动作"(Action)为主的剧艺,独创了所谓"静剧"(Static drama),少言语,少动作,而由"情调"(Mood)构成,不在于使人看,而在于使人感受它的特征。他的剧作表现超乎世界以外的世界,以死、爱、心灵、恐惧等脱离肉体的东西为材料,没有一般戏剧的结构、顶点或意志的斗争和动作的进展,所以有人评他为易卜生以上的演剧改革者。1890年发表了《玛兰纳公主》(*La Princesse Maleine*),便一跃而为名剧作家,得"比利时莎士比亚"之称;同年又发表了《闯入者》(*L'Intruse*)和《群盲》(*Les Avengles*)等,这些作品都带有神秘和忧郁的色调,使人感受到人生悲惨的运命。接着发表了许多剧本,如《七公主》(*Les Sept Princeses*,1891)、《佩莱亚和梅丽桑》(*Pelléas et Mélisande*,1892)、《阿兰亭和波里米》(*Alladine et Palomides*,1894)、《丁泰琪之死》(*La Morte de Tintagiles*,1894)、《室内》(*Intérieur*,1895)、《阿格拉维奴和舍里塞脱》(*Agalavaine et Sélysette*,1896)、《青鸟》(*L'Oiseau Bleu*,1909;十余年后又出续篇《求婚》)、《嫫娜梵娜》(*Monna Vanna*,1902)、《马格达琳》(*Marie-Magdeline*)等,在世界剧坛上获得了不可动摇的地位,1911年得诺贝尔奖金。其他作品有名的，论文为《智慧和运命》（*La Sagesse et la Destinée*，1898）、《蜜蜂的生活》（*La Vie des Abeilles*，1901）、《贫者之宝》（*La Trésor de Humbls*，1896）、《被埋之宫》（*Le Temple Enseveli*）、《花的智慧》（*L'entelligence des Fleurs*）及诗集等。

十　俄罗斯（苏联）

苏联戏剧得自写实主义的先驱者葛利波耶杜夫说起，俄国的真正的戏剧，可以说由他起，超过了前人的成就，且开辟了后来的新境地。

葛利波耶杜夫（Griboyedov，1795—1829）生于莫斯科古旧的贵族之家，聪颖勤勉，爱好音乐。十五岁便进大学，因为其中有一位教授对戏剧热心研究，校内因之常演剧，这给予他的影响很大。当时他热心研究希腊剧，因之"三一致律"在他的剧上也遵守着。十七岁即卒业，除了法律、文学、数学这些专攻科目外，还学得五种欧洲言语。旋在军队服务，把法国喜剧《年轻的夫妇》译出上演。1816年辞去军职，进文学界，和好友卡米宁合作以嘲笑感伤主义为主题的喜剧《大学生》。翌年供职于外交部，不久因某项决斗事件，被谪为波斯公使馆随员。到1829年这十三年间，在东方生活。1828年和一公爵之女尼娜结婚，她还不到十六岁，后来留下她而独回德黑兰（Teheran）任全权大使，适遇民众暴动，袭击俄使馆，俄人被虐杀三十七人，他为其中之一。后俄国政府为他举行隆重葬仪，葬于特弗利斯寺院。生前写过一部以高加索民间传说为题材的悲剧《乔治亚之夜》，未完稿。他的杰作只有一部，即是1825年休假回莫斯科后写成，旋偶然被友人发现了原稿的《聪明误》（Gore ot ume），或译《智慧的悲哀》，便使他的名永垂不朽。自然，他在这前后也曾写了少许喜剧及诗作，他的价值却体现在这部作品上，好似《神曲》之于但丁，《堂吉诃德》之于塞万提斯——他的天才，他的力量，全贯注于这《聪明误》之上了。文豪冈察诺夫曾评这作品说："葛利波耶杜夫的喜剧出现在1824年，比普希金的奥尼金（韵文小说《欧格尼·奥尼金》中之主人公）和莱蒙托夫的白曹林（小说《当代英雄》中之主人公）还要来得早；但后来出现的这两种不朽的典型，却不能使他灭亡，果戈里的时代，它也可以安然地通过，它大概将来还不会失掉它的生命力吧。"这剧本的构成并不复杂，是嘲笑十九世纪初的莫斯科社会界，以及把这时代的特殊性相加以普通化，讽刺虚伪、阿谀、傲慢、诽谤、贪欲、愚昧、懒惰等永远不变的人情共通的缺点和弱点。

莱蒙托夫（M.Y.Lermontov，1814—1841）生于莫斯科，初从家庭教师学英语，后入大学，1832年和教授们争论而退学，十八岁时进圣彼得堡的近卫士官学校，二年后在近卫联队工作。这期间开始作诗，终成名诗人，小说《当代英雄》亦为名作。他除这些外，也试作剧本，他的《假面的跳舞》，因为把各个人物性格写得非常强悍，那主人公亚尔倍宁是一个对一切表示失望、否定全部人生，而不知把自己的力量用到何处去的人，更因剧中没有加上劝善惩恶的主旨，致被禁止上演。

大诗人普希金也写过《保利哥都诺夫》（*Bore's Godunov*），勇敢地模仿莎士比亚，用浪漫的手法处理他们的人物，同时有真实的叙述，他认为"情景自然和对话自然，是产生真正悲剧的主要原则"。只是戏剧并非他们的专长，他们的精力之全部是花在其他上面。像这样的作品，在此从略，仅拟选出果戈里、奥斯特洛夫斯基、屠格涅夫、托尔斯泰、亚莱克舍·托尔斯泰、契诃夫、柯皮林、安特列夫、高尔基这九位大名鼎鼎的人来依次叙述。

果戈里（N.V.Gogol，1809—1852）是剧作家、舞台监督兼演员的华希里之子，父亲的文学才能遗传给他，生活环境是画一般的有自然美的小俄罗斯，那儿丰富的民间传说和民谣都成为产生他的基础。十二岁进中学，成绩不甚好，被同学们认为是既懒惰又不守规则的人,可是和许多同学共同购读杂志上发表的诗,同时对绘画和戏剧热爱,尤其对戏剧,饰演老头儿,朋辈都认为他有非凡的才能。十五岁丧父,学校卒业。1828年冬抱着叙事诗《汉斯求里尔汉登》草稿到圣彼得堡,出版后为批评家讥评,因此把该书焚了,旋到外国旅行。不久即返,在某官厅找到了位置。他开始写作戏剧是在1833年左右,因为他自觉作为讽刺家的天资早就在喜剧世界里感到强烈的吸引力,于是着手写《乌拉齐米尔三等勋章》的初稿,只是构想过于宏大,难于收拾统一,故未完成即抛弃;同时由好友普希金那里取得题材,写《结婚》及《钦差大臣》,后者是他的杰作,而且是俄国甚至世界剧坛的名作。此剧情节并不复杂,全篇充满着机智和谐谑,令人笑出眼泪来,各人物的性格被真诚而自然地表现出来,在近代剧中可说没有能出其右的。此剧不只暴露某一国家在某一时代的不健全的行政政治状态的丑恶,或嘲笑空虚而无意义的现代社会的缺陷而已,进一步要和横亘在这一切当中的祸根——"恶魔"相斗争。当时几乎遭禁演,因得尼古拉帝的庇护,才能于1836年开始上演(1834年作)。果戈里的长处是能从心理的、社会的方面给予深刻的讽刺,在文学上开了赋予以社会的支配力之先例,充满着博大的人间爱,而真诚地暴露社会的罪恶,并宣扬正义观念。他的成就在小说上更大，此处不赘及。

果戈里是巩固了俄国文学基础的人，尤其是他的写实主义的客观描写，诱导出俄国文学日后的伟大。可是近代俄国国民剧的创始者却是奥斯特洛夫斯基，因为是他对顽固保守的戏剧界注入新鲜的空气，指导并提倡客观的趣味，养成理解新时代的演员。一生写了几十个剧本，充实了俄国剧场的剧目。

奥斯特洛夫斯基（A.Ostrovsky，1823—1886）生于莫斯科的陋巷中讼师之家，他从幼年起就能在一切机微上去深刻理解那些代表俄国旧时代的特殊阶级。中学毕业后，在大学法科仅两年，就跟一教授冲突而退学，遂在法院过低级公务员的枯燥生活，接近些下级官吏，这与后来的剧作大有关系。这时候起，其对演剧已有热爱。1846年开始发表处女作《家庭幸福小景》，并着手写《破产者》（*The Bankrupt*），后改题为《自家好算账》，由这两喜剧一跃成名。后继在《俄罗斯人》《现代》等杂志发表作品，共有五十余种。名作除上举者外，为《贫非罪》（*Poverty No Vice*），1854年作；《大雷雨》（*Storm*），1859年作，曾得奖；以及《不要过任性的生活》（1854）、《肥缺》（1857）、《热心》（1869）、《森林》（1871）；还有诗剧《雪公主》（1873）等。1885年任莫斯科帝室剧场的上演目录委员会主席、帝室剧场附属研究所所长。他作剧能在平凡琐细的生活描写中，使场面于不知不觉间自然地展开，形成了深刻的剧情；虽然有不留意舞台效果、不能有震撼人心之嫌，却有独创的世界观，超越时地的永久价值，故在革命后的苏联，仍不断地演出他的作品。

屠格涅夫（I.S.Turgenev，1818—1883）生于一个旧家庭，十六岁丧父母，容貌丑陋，性格固执，时常受酷待。家中有着千人以上的农奴，也常被残忍地驱使。在这种状况下长大的屠格涅夫，早发生对农奴制度的反感。他受外国人的家庭教师教育，长而学于莫斯科、圣彼得堡及德国柏林等大学，后来以在法国居住为多，和左拉、福楼拜、都德等交谊甚深，和女声乐家嘉茜亚（Viar dot Garcia）的一家人交谊更深，但他一生不结婚，在巴黎患脊髓癌症，搏斗了半年，终了他一生的孤独生涯。他以小说家著名，这里仅说他也写过剧本，如五幕的《村中之月》，一幕的《村妇》和《食客》，充满了幽婉的情绪，为契诃夫的"静剧"的先驱者。

托尔斯泰（Leo Tolstoy，1828—1910）是近代的大思想家、诗人、小说家兼戏剧家。他为伯爵家的第四子，早丧母，父亲是个乐天的多血质的退职军人。幼年的托尔斯泰是依照习惯，经许多保姆和德、法籍的家庭教师所守护而成长起来的。结束了家庭中的普通教育，进加桑大学的东方语言科，旋转入法科。1847年退学还乡，从事农村事业，失败，后来时住圣彼得堡，时住莫斯科，许多时间消磨在吉卜赛女人、酒和骨牌上面，结果决心学好，1851年进军队，当一见习官赴高加索，1853年参加克里米亚战争。1855年退伍，转向于文学创作，进入思索的生活，暂居圣彼得堡，但不和文坛亲近。接着漫游西欧，在巴黎和屠格涅夫订交，经瑞士、德国而归故国，在乡里或莫斯科过华美的生活。1860年访德、意，丧兄，受极深感动。翌年和屠格涅夫论争，至于绝交，第三次实行设立凤所计划的初等学校，专以人道修养为教程。1862年和苏斐亚（Sophia A.Behrs）结婚，开始了新生活。不久陷于宗教的烦闷，倡无抵抗主义，将一切财产给其妻，自过贫困的生活。1910年11月10日清晨，突然弃妻离家，出外漂泊，十日后永眠于阿司塔浦瓦（Astapovo）村的小车站。戏剧上的名作有《黑暗之势力》（*The Power of Darkness*）、《文化之果》（*The Fruits of Culture*）、《活尸》（*The Living Corpse*）及《黑暗之光》（*The Light that Shines in Darkness*）等，尤其《黑暗之光》，是他的杰作，也可说是俄国真正的最初的民众剧，他原是以教育民众的目的来写作，结果变成一种和千篇一律的劝善惩恶剧不可同日而语、充满了真挚的力量，被公认的世界名剧之一。

亚莱克舍·托尔斯泰（Aleksey Konstantinovith Tolstoy，1817—1875）生于圣彼得堡的伯爵之家，有富裕的家产，他享受双亲的钟爱，在小俄罗斯的领地内度过幼年时代那种孤独的田园生活，美丽自然的风光培养他为诗人的基础。六岁即开始作诗，九岁奉召进宫，做皇太子的同学，第二年因家事走遍了国内以及各国，尤其在意大利前后过了十三年，这确定了他对美的爱好及为纯艺术服务的态度。后来在老同学——亚历山大二世侧服务，不久告退，在乡村过安逸的生活而专从事文学。他是唯美主义者，却和颓废派不同，他是以纯粹的美之力量照射人心，把它提高到更高的精神境地为目的，赞美理想化了的古代俄国，喜欢研究祖国的历史，而将其结果拿来做叙事诗、小说和戏剧的材料。剧作中以韵文史剧三部曲为最重要，富有舞台的效果，到现在还在戏场上演。第一部是《暴君伊凡之死》（1866），第二部是《佛约朵尔伊凡诺维支皇帝》（1868），第三部是《波利斯哥特诺夫皇帝》。莫斯科艺术剧场曾以此演出获得独特的地位，二十年间都把它当作迎合观众的好剧目，上演了一百几十次。革命后，他曾一度亡命于外国，但几年之后，向政府乞还，得重返祖国的许可，从此写下了一些以被革命所播弄的知识阶级的流离生活为题材的小说及戏剧，文笔圆熟巧妙，但总有点过时之感。发表过跟他人合作的《皇后的阴谋》等戏剧之后，已被归入通俗作家的范畴，在他的剧作史上值得夸耀的到底还是那三部曲。

契诃夫（A.Tchekhov，1860—1904）生于南俄达干洛克，他的祖父是用金钱买得自由的农奴，父亲开一爿小商店，所以他少年时代在店里做小伙计。中学毕业后到莫斯科进大学的医科，以投稿获得稿费补学费之不足。文学生涯从1879年起，初用Tchehonte笔名。1890年曾到库页岛、西伯利亚旅行半年，损害了健康。1892年在莫斯科梅利霍沃村买了一所小庄园，埋头写作。他生在人们都因政治给予的窒息而沉溺于忧郁和冷漠之中的时候，这意气消沉的九十年代，正是托尔斯泰的无抵抗主义开始风靡的时期；他洞察社会内部生活的意义和真相，而予以光辉的艺术表现。他的小说极著名，但戏剧是他的艺术之一大分野。《伊凡诺夫》（1888）、《海鸥》（1896）、《万尼亚舅父》（1899，即《文舅舅》）、《三姊妹》（1901）和《樱桃园》（1903）等剧本，在世界演剧史上跟莫斯科艺术剧场之名同为划时期的东西。他在1901年因《海鸥》《万尼亚舅父》上演为媒介，和艺术剧场的女演员奥利卡克尼培尔结婚，以后人生观上起变化。《樱桃园》是他的绝笔，也是最有名的杰作，是以农奴解放后的地主阶级的没落和平民布尔乔亚阶级的勃兴为主题的，显得他的人生观渐向光明和希望；由对妻之热烈的爱情引出了生活欲望，可惜因旅行库页岛时种下病因，终至于早死。他的剧是所谓"静剧"或"情调剧"，和梅特林克的"静剧"则小同大异。他并不暗示宿命如死和悲剧等意识界不能感知的东西，不取极端比喻的象征的暗示；依然是客观真实地描写沉滞的内地都会和乡村的知识阶级的忧郁生活、茶余酒后的闲谈、哲学的抽象论争以及没什么意思的笑话；便是他的讽刺和幽默也不如果戈里那样辛辣，里面藏着一脉哀愁的温柔，正是所谓不以笑来缓和眼泪，而以眼泪加深了笑。这些不只在上举的剧本中可见，即在独幕的如《熊》（即《蠢货》）、《狗》（即《求婚》）、《天作之合》等作品中均可味到。

柯皮林（S.Kobylin，1820—1903）是新时代放射异彩的奇才。生于一富裕的地主之家，过惯了豪华的生活，却有冷静的头脑。当他从巴黎带回的爱人特曼修被人杀害了的时候，他有凶手的嫌疑，吃了七年的官司，坐了半年左右的牢狱，所以憎恶无气节的司法官吏，在作品中都有明显的表现。他的剧作不多，似只有三篇喜剧，也许他因为细心慎重，所以不能多产，但也因此使他的作品臻于完美。第一部《克莱琴斯的结婚》，为1854年发表者，这部作品他花了十年以上的时间作成，人物性格生动，会话自然，确为名作，1855年初演于莫斯科小剧场，大获成功。第二部《事件》，系1862年发表，也是花了好久功夫才写成的，实为第一部的续篇，这作品把那些蹂躏人权、渎职、阿谀等丑恶暴露无遗，可是这杰作不能通过审查，很久不得上演。第三部《达莱尔金之死》，花了七年工夫，1869年完稿，也被禁演了三十年，是一篇近于笑剧的东西。他的作品在革命前都不能上舞台，所以在文坛上无甚名望；革命后梅叶荷里剧场和第二剧场均上演，证明他是有特殊的才能，才一跃而为伟大的剧作者，只可惜他的作品不多。

安特列夫（L.Andreyev，1871—1919）是一测量师之子，当他在中学时父即去世，最初在圣彼得堡大学学法律，旋转入莫斯科大学，学费不足，极感困难。1894年企图自杀，未成，被罚忏悔，由此便患心脏病，试作文章也失败，1897年毕业，翌年才开始他的处女作，由此完全投入文学活动。当时和许多知识阶级者一起反抗布尔乔亚的文化，但终未能移行到普罗列塔利亚的立场，而陷于绝望的悲观主义；在写作手法上，也暂离沉静的写实主义，好以人生之无意义和空虚为主题，采取比喻的象征的手法。初期戏剧《我们的生活之日》（1908）和《我们的欢乐之日》（1910），以初期的学生时代为材料，象征的倾向并不浓厚。自从革命以后，他那孤立主义益趋深化，遂决定与现实游离。他的名剧为《人之一生》（1906）、《沙哇》（1906）、《黑假面》（1907）、《饥饿王》（1908）、《阿拿多玛》（1909）、《往星中》等。他所写的世界比前人所写的更黑暗，他觉得这世界根本没有光明，怀疑的程度渐次加深，终于达到虚无的境地。

高尔基（M.Gorky，1868—1936）由一个流浪人一跃而为世界文坛的巨星，是九十年代新潮流之有力的代表。父为绘画师，母为染工，四岁时即丧父，母也再醮，他便由祖父收养，进小学校，不到五个月，染天花，退学。这时他的母亲死了，祖父破产，穷困不堪！于是他自九岁时起，经历过各种生活——鞋店、招牌店、制图所的徒弟，代人洗碗，园丁助手，面包店小使。小时读书欲即旺，曾在晚上用自制的蜡烛燃点起来读书，被师父打得进病院疗伤。后来在轮船上做厨子助手，幸运到了，厨子史茉莱教他读果戈里、大仲马等人的作品，而且将自藏的一切破书给他读。在码头的流氓中，认识了原是师范学生的巴希金、自称表匠实系专收买贼赃的屈鲁索夫，后来又遇到了面包店主人特伦珂夫、杂货店老板可可尔，这些都是使他获得学识的人，尤其是可可尔告诫他说："你千万不要让书本子关住了你，不和真实的人生接触！"才使他不为书籍所囿，后来以丰富的生活经验创造出伟大的作品。不久他又转徙流浪于全国各地，做卖苹果者、车站职员、律师的书记、盐业铁工场的职工。1892年发表处女作，翌年认识了珂洛连科，因他的劝诱，走上了文学的正道，这年发表 *Thelkesh*，始为文坛注意。他是一位可惊的人性的观察者，用独创的写实手法写作，忽获得和珂洛连科、契诃夫、托尔斯泰并称的地位。他所好描写的Type，是反逆的性格；他对自然极爱好，这些便成为他的特色，所谓在契诃夫的黄昏的忧郁之后，高尔基的黎明的清爽到来了，予苏联文学以一种强力。他和1905年的第一次革命有关系，致在外国住到1911年。自1917年的革命后，都努力于宣传，1921年又因病到外国去，住在意大利，但在1928年被苏联的同胞欢迎回去，受文坛生活三十五年纪念的庆祝。一生除作诗歌小说外，写了二十多个剧本，著名的为《敌人》《最后者》《小市民》《下层》《别墅的人们》《太阳的儿子》《野蛮人》，逝世前不久还写过三部曲。所有剧作中，《下层》为代表作。他的剧作里并没有多少事实做题材，所谓剧情，并不在他们所演出的表面上的变动，却在他们所表出的内心的情感错综的冲突，和这些无结果的冲突所造成的境界。其在作剧技法上说，很受契诃夫"静剧"的影响，企图把平板无味的生活如实地速写地表现出来，也许的确削弱了动人的力量，但几十年来，剧院的剧目里却少不了它们。

之后二十多年苏联的戏剧一日千里地进展，不只新出作剧的奇才很多,即演剧艺术的改革家也很多,如创立莫斯科艺术剧场的丹钦珂(V.Nemirovich-Danchenko,1858—1943)和史坦尼斯拉夫斯基(K.Stanislavsky,1863—1938)、国立梅叶荷里剧场的梅叶荷里(V.Meyerhold,1874—1940)及卡末尼剧场的泰伊洛夫(A.Tairov,1885—)等,在此割爱,从略。

十一 英吉利

这里要以莎翁同时代和其前后的作家们说起,并且英国剧坛知名之士亦多,为了篇幅,只能选最著名的二十余位作者来叙述。首先由跟莎翁常聚会在鲛女酒店(Mermaid Tavern)的一群剧作家中选叙六人:

琼生(Ben Jonson,1572—1637)生于Westminster,少时因其母再嫁,只好暂时做砖瓦匠,不久从军,1595年归国。自1597年开始为演员,又为剧作者而活跃,终成剧坛领袖、桂冠诗人。1598年开始发表《人各有癖》(*Every Man in His Humour*)和《情形变了》(*The Case in Altered*),接着作《没有幽默的人》(*Every Man Out of His Humour*,1600—1616)等。尤其是讽刺剧《人各有癖》一篇,创始了无前例的写实喜剧,不写人类的热情,而写人类的愚蠢和癖性。此剧曾由莎翁剧团在女王前演出，从此继续发表许多作品，例如悲剧 *Sejanus*（1605），讽刺剧《狐狸》（*Volpone* or *The Fox*，1605），笑剧 *Epicoene*（1609）、*The Alchemist*（1610），反清教的讽刺剧 *Bartholomew Fair*（1616），喜剧《磁性的妇人》（*Magnetic Lady*，1631）、《木桶故事》（*A Tale of a Tub*，1632），牧歌剧《忧伤的牧羊人》（*The Sad Shepherd*，1637，未完成）。他不只写剧，还写哀歌、书简文、恋诗等，以学识渊博著称。他的剧本可分三类：写实的喜剧、悲剧、舞剧。以第一类为最有贡献，以分析的心理毫不同情地清晰地描写当时人的敏锐、机智和有力的优点，予人以不可磨灭的印象，影响英语国家的作家很大，尤其所创造的剧本新形式，一直到现在还留在舞台上。

迪格（Thomas Dekker，1572—1632）以《皮匠的假期》（*The Shoemaker's Holiday*）和《幸运老神的喜剧》（*The Pleasant Comedy of Old Fortunatus*）出名。他是当时戏剧界的争执（War of the Theaters）中的主要人物，据说他在和马斯登（J.Marston）合作的剧本中公然讥讽琼生，琼生也作《劣等诗人》（*Poetaster*）挖苦他两人；迪格又写一本滑稽剧《讽刺剧作家》（*Satirist*），把他挖苦得更刻薄；同年马斯登和琼生合作《爱情的殉难者》（*Love's Martier*），两方旧仇才消释，以后他们三人合作《东去》(*Eastward Ho*)。迪格除上面提到的剧本外，还写了描写疫病之战的小册子《奇异的年头》(*The Wonderful Year*)及其他，如*The Honest Whore*、*Bellmen of London*等。他和韦蒲司脱合作了三个剧本：《托马司维特先生的名故事》(*Famous History of Sir Thomas What*)、《西去》(*Westward Ho*)、《北去》(*Northward Ho*)。

韦蒲司脱（John Webster，1580—1625）是伦敦一裁缝匠的儿子。他的剧本虽少，品质却高，除和人合作的外，他的悲剧很庄严而有力，描写暗淡的气氛，苍白恐怖且富抒情诗的美，不过剧中人物稍缺统一。喜剧有《魔鬼的法案》(*Devil Law Case*)，悲剧有*Appius and Virginia*、《白魔》(*The White Devil*)及《马尔飞公爵夫人》(*The Duchess of Malfi*)。

马星桥（Philip Massinger，1583—1640）曾在牛津大学肄业，未得学位。1606年以后都住在伦敦，笔耕为生。据说蒲门脱和弗兰巧合作的剧本中也有他的份，因为他是弗兰巧的学生。他和迪格合作的有《殉难的处女》(*Virgin Martier*)。他独自作的现存者有十六个剧本和失传的十二个剧目，最有名的喜剧是《旧债新偿法》(*A New Way to Pay Old Debts*)，1625年作，1632年上演者。他特别长于剧本的结构和描写有力量的场面和人物，缺点是不能把全力灌注在正在写的剧本上，常用浮辞粗语。

蒲门脱（F.Beaumont，1584—1616）和弗兰巧（Fletcher，1579—1625）似乎势必两人并提，因为他两人被称为"伊利莎白时代的剧作家之双璧"，永远是合作剧本，甚至衣服一切都合用的。合作剧本在当时极平常，最成功却数他两人的合作。蒲门脱是法官的儿子，在牛津大学读书；弗兰巧是牧师的儿子，在剑桥大学读书。从1608年起直到1613年蒲门脱结婚止，他两人都同住在一处，共灯而读，抵足而眠。蒲门脱先于1616年死；弗兰巧于1625年罹瘟疫死。合作的剧本最优秀的是《菲拉斯特》（*Philaster*）、《女仆的悲剧》（*The Maid Tragedy*）、《似王非王》（*A King and No King*）、《火城武士》（*The Knight of the Burning Pestle*）、《悔慢的太太》（*The Scornful Lady*）等，实际合作的达五十二篇之多，剧本的号召力到王政复辟期以后还不衰落。

英国戏剧进入第二期，剧场已改了组织，例如伊利莎白时代所没有的幕和背景，这时都有了；以前的剧场没有屋顶，这时有了；以前用日光，这时用蜡烛；以前没有女演员，这时女的也有了，因之剧的内容该更加深写实的程度，显示"人生的批评"。可事实上反之，作家作品反远离人生，因为克伦威尔（B.Cromwell，1658—1660在位）内乱后，清教徒支配英国，下禁止演剧令；但不久查理二世（Charles Ⅱ，1660—1685在位）即位，成为王政复辟时代，演剧经二十年屏息而再生。这时期出了些剧作家，唯在质上不及以前了，在此也举出六位来叙述。

德莱登（John Dryden，1631—1700）为复辟期之唯一最大的诗人，通常被人称为"辉煌的约翰"（Glorious John），是清教徒之子。家庭虽有些钱，他自己却一生靠卖文为活，他是出卖文章的第一人，有"卖文诗人"之称。1650年毕业于剑桥大学。1667年后，英国的剧场复活，他便在写诗之外着手作剧，以每年写三四脚本为条件，得年俸三百镑。论戏剧的文章比剧本写得更好，如他的《剧诗论》（*Essay of Dramatic Poetic*）极有价值；剧本如《印度国王》（*The Indian Emperor*）、《格莱那达的征服》（*Conquest of Granada*）、《暴君的爱情》（*Tyranmic Love*）等；也改了他人的许多剧作。写剧本并没有什么了不起的成绩，对于戏剧问题的讨论，他却有独特的见地。

奥脱威（Thomas Otway，1652—1685）是这时代的一个有戏剧天才的人，当过演员，但不很成功；最初作剧也无成就，从1676年的*Don Carlos*及1675年发表悲剧*Alcibiades*起，获得好评，1680年的《孤儿》（*The Orphan*）及1681年的《保存了的威尼斯》（*Venice Preserved*），更富舞台效果，充满着幻想和热情。约翰生博士说："奥脱威未下笔已有了整个的计划，别出心裁，精劲有力。"

孔格里夫（William Congreve，1670—1729）是这一群人中最有名的一位，是英国风俗剧的巨匠。在都柏林的三一学院（Trinity College）受教育，旋住伦敦，从事作剧，二十三岁所作、1697年上演的《老鳏夫》（*Old Bachelor*）获绝大的成功，续出喜剧《两头讨好》（*Double-Dealer*），因讽刺过于辛辣，不受欢迎，可是得文坛领袖德莱登的推许，地位更高。1695年所作的《为爱情而爱情》（*Love for Love*）是英语上最优美的散文剧，其他还发表了《悲哀的新娘》（*The Mourning Bride*，1694）和《芸芸众生》（*The Way of the World*，1700）。据说英国戏剧，由他起，才真正一字不苟地写作，他生前很光荣，许多文士都捧他。

高尔斯密斯（O.Goldsmith，1728—1774）生于爱尔兰的乡村，是一个穷牧师的儿子。在都柏林大学为免费生，有月亮的晚上，便到街上卖唱，并写些"街歌"（Street Ballades）出卖，出校后当牧师、教师、律师、医生等职。他也是获得最高荣誉的剧作家，作喜剧《好好先生》（*The Good Natured Man*）和《诡姻缘》（*She Stoops to Conquer* or *The Mistakes of a*

Night），尤其是《诡姻缘》，文体素朴而有魄力，富有温柔的深刻的幽默。

谢莱敦（Richard Brinsley Sheridan，1751—1816）是政治家，1773年起定住于伦敦，1775年发表剧作《情敌》（*The Rivals*），1780年承接经营桔庐巷的剧场，继续发表了些作品。1780年起加入国会做官，因发表弹劾Hastings（第一任印度总督）的演说而著名。1808年剧场被焚毁，1812年由议会退休，失望和穷困俱来，曾因负债入狱，在悲境中逝去。他的代表作是1777年作的《造谣学校》（*The School for Scandel*），这也是十八世纪中最好的一个剧本，有兴趣的剧情转变和绚烂的对话，据说华盛顿最喜欢此剧。

高尔斯密斯和谢莱敦占据了英国戏剧的衰落期，现在进而述第三期，由衰落到近代剧的黎明期。这一期应说的大作家更多，最低限度也得提到八位，同时还有爱尔兰的四位大作家。

琼斯（Henry Arthur Jones，1851—1929）到1878年为止，都从事商业，没有受很高深的教育，完成普通的课程之后，即写独幕剧，时常上演。由于1882年作了《银之王》（*The Silver King*），非常成功，即为剧坛重视。1884年模仿易卜生的《玩偶之家》作剧名《小题大做》（*Breaking a Butterfly*），更写了《圣者和罪人》（*Saints and Sinners*），一跃而成近代剧作家第一人。他在英格兰剧界的地位等于夏芝在爱尔兰，他们两人为近代剧运动的先驱者，披荆斩棘，开辟道路。1884年还立观众俱乐部，在《十九世纪》和《新评论》发表热情勇敢的文章，在剧本的序文上表明自己的所信，不只在英国，还远赴北美各地，站在讲坛上演讲。把他的意见编集发表的有《英国剧的再生》《国民剧的基础》等书。后来他排除易卜生的影响，骂易卜生为"危险的挪威的象征派"，尽量企图完成纯英国剧。其他剧作甚多，在此不一一列举。

平内罗（Arthur Wing Pinero，1855—1934）生于伦敦，1874—1881年当演员，到1890—1910年之间，和琼斯一样受人欢迎。1877年开始作剧，处女作《年收二百余镑》，在地球剧场上演，不久便抛弃了演员生活而为剧作家，可说是在易卜生以前的英国剧坛的领袖。其时在欧洲大陆流行的所谓问题剧输入了英国，他由1889年发表《荡子》（*The Profligate*）而成英国第一位问题剧的作家。他在1890年之前，共写过二十七个剧本，没有一个不受观众和戏院经理欢迎的，如《县长》（*The Magistrate*）、《内阁总理》（*The Cabinate Minister*）、《香草》（*Sweet Lavender*）等。使他成为近代剧的先驱者而永远被人们记住的是《谭格瑞的续弦夫人》（*The Second Mrs. Tanqueray*）一剧，在全世界的舞台上演过，有几个演员因演它而成名。平内罗在此剧后又写了二十多个剧本，他对于戏剧的见解是认为剧作家必须既有"戏剧的才能"，又有"剧场的才能"，尤其后者更必要。他自己正是这样的人。他过分看重技巧，也许是因为他过于重视"剧场的才能"之故吧。

王尔德（Oscar Wilde，1854—1900）是最有名的唯美主义者，散文名家，此处仅说他的剧作。他于1882年发表了处女剧作《虚无主义的人们》（*Vera or The Nihilists*），他自己说"这不是政治的戏剧，而是热情的戏剧，这不是讨论政体的东西，而是处理男女问题的东西"。真正写剧本是始于1891年，因有名的"男色事件"下狱，到1895年这四五年间他一跃而为世界剧坛的宠儿。1891年用法文写成世界闻名的《莎乐美》（*Salomé*），旋被英译，在德国经莱茵哈特（Reinhardt，1873）上演，获得绝大的成功，更被改编为歌剧，风靡全世界，各国争相移译。1892年写了《温德米尔夫人的扇子》（*Lady Windermere's Fan*），此剧的情节运用温德米尔夫人所拿的扇子这一小道具而渐渐展开，非常巧妙，在技巧上极有兴味。1893年写了《无价值的女人》（*A Woman of no Importance*），是以父子俩的奇遇为题材的。1895年出《理想的丈夫》（*The Ideal Husband*），同年又出《同名异娶》（*The Importance of Being Earnest*）。他的剧作的长处是会话活泼，场面巧妙；缺点是专写上流社会的浮薄轻佻的人物，有时过于精练辞藻，使人物的性格失去了真实。

萧伯纳（G.Bernard Shaw，1856—）承英国人的血统而生于都柏林，最初因家贫，在爱迪生电话公司里当小职员。生来即对音乐和政治有兴趣，终驱使他到伦敦去了。1873—1879年写小说没有成功，但认识了几位名文士，由他们介绍做*Pall Mall Gazette*的评论记者，接着转为*World*的美术批评家，1884年加入费边协会（Fabian Society），和劳动问题研究家维蒲（Webb）及文豪威尔斯（H.G.Wells）相识。1888—1890年主持*Saturday Review*的剧评，此时努力宣传他所怀抱的思想，写小说、论文、剧本。他的活动虽是多方面的，但以戏剧家为中心。他的剧作是属于易卜生系统的思想剧，1892年发表他以所谓不愉快的题材作成的处女剧本《鳏夫之家》（*Widowers House*），一跃而为剧坛名家。他不是纯粹的艺术家，在作品中充分表现他自己的社会观人生观，他的剧作最特异的一点是序文有时长于本文，对"舞台指示"（Stage Direction）也极详细，所以有人称他为"序文的人"。他的确以戏剧为宣传的武器，所以有人认为，与其说他是剧作家毋宁说是思想家。写了《华伦夫人之职业》（*Mrs.Warren's Profession*）、《命运之人》（*The Man of Desting*）、《凯撒和克勒奥佩脱拉》(*Caesar and Cleopatra*)、《人和超人》(*Man and Superman*)、《武器和人》(*Arms and Man*)、《康第达》(*Candida*)、《安特罗克勒和狮子》(*Androcles and the Lion*)、《商籁的黑美人》(*The Dark Lady of the Sonnets*)、《圣女贞德》(*St.Joan*)、《归还孟梭塞拉》(*Back to Methuselah*),两篇长剧更显示他老当益壮的创造力。他的戏剧很多,近年还写了《日内瓦》,在此不一一列举。总之自1898年他的《愉快的不愉快戏剧》(*Plays Pleasant and Unpleasant*)出来后,使读剧风气大盛,给世界剧坛的贡献极大。

高尔斯华绥(John Galsworthy,1867—1933)于1889年毕业于牛津大学,所学的是法律,1890年得律师资格,因厌恶这职业,所以放弃了。涉猎群书而写小说、戏剧、论文,旅行足迹几遍全世界。1906年开始作剧,发表了《银匣》(*The Silver Box*)。萧伯纳长于喜剧,他长于庄剧,所写喜剧《欢喜》(*Joy*)、《窗子》(*The Windows*)并无大成功,《鸽子》(*The Pigeon*)倒是杰作。他不是革命的思想家,不过是个人道主义者,受过法学的训练,所以能用锐利且理智的刀解剖社会丑恶,以裁判官似的森严的态度,描出社会恶状。他的《争斗》(*Strife*)描写劳资斗争;《相鼠有皮》(*The Skin*

Game）、《长子》（*The Eldest Son*）描写新时代的冲突和两个阶级的斗争；《正义》（*The Juetice*）攻击刑罚制度的缺陷；《忠义》（*The Loyalties*）处理由人神间的偏见而起的纠纷。其他剧作还有很多，从略。

巴格（Granville Barker，1877—1946）生于伦敦，年少时即投身戏剧界，在各乡村巡回演剧，1892年才出现于伦敦的剧场；忽参入红演员之列，后对新剧感兴趣，为舞台协会一分子，当舞台监督，又当演员。他的剧作家生涯始于1899年，作剧常开创新形式，不墨守旧规，所以成名，有人誉之为"英剧作家第一人"，但也有贬他的作品为不是戏剧。他在英国剧场的演出法上有大贡献，即废止"明星制"（Star System）而采取"演出剧目制"（Repertory），以统一舞台效果为信条，并为之而奋斗。他特别敬仰萧伯纳，所以剧的内容和形式都受其影响，剧中虽也常有说教的冗长的对话，但在某种意味上说，他确是站在写实主义者的立场的。他既翻译外国的名剧作，又和他人合作剧本，自己写的如《安丽的结婚》（*The Marrying of Anne Leete*），描写自然和人生的纠纷。《伏塞家的遗产》（*The Voysey Inheritance*）表现新旧时代对立的主题。《浪费》（*Waste*）里的思想等于萧伯纳的"生命力"的哲学，唯稍有不同，就是萧伯纳以为宇宙的意志宿于女性中而征服男性；

巴格则以为男性不一定被女性征服，男性将灵魂、女性将肉体传于子女，所以他的剧里时常呼喊着父性（Fatherhood），在生殖问题上男女至少都占对等的地位。这《浪费》一剧，触了检查者的忌讳，终成英国的大问题，使上下两院协议委员会讨论检查制度，而予以改善。《马特拉商馆》（*The Madra's House*）含着各种问题，简直是现代英国的缩图。后来又写了《秘密的生活》（*The Secret Life*）等剧。

在这里，本来还可举出几人，为了篇幅，只得割爱了，但英国近代剧还有支流，再举两位代表，一是巴蕾，一是曼殊斐儿。

巴蕾（James Barrie，1860—1937）生于苏格兰，出爱丁堡大学后，1885年在伦敦当新闻记者，旋写小说成名。受萧伯纳的影响，作剧好用社会的主题，想象、情绪、机智特别奔放。小说的代表作是 *The Little Minister*（1891年作，1897年改编为剧本）、*The Little Bird*（1902年作，1905年改编为剧本）。1894年写成《教授的恋爱故事》（*The Professors Love-Story*），开始为剧坛注目。到了20世纪，陆续写出《可敬的克雷登》（*The Admirable Crichton*，1903）、《住宅街》（*Quality Street*，1903）、《彼得潘》（*Peter Pan*，1904）等剧，一跃而成第一流剧作家了。接着又写了《太太们的常识》（*What*

Every Woman Knows，1908）、《半点钟》（*Half an Hour*，1913）、《星特莱拉的一吻》（*A Kiss for Cinderella*，1916）、《曼丽鲁丝》（*Mary Rose*，1920）、《十二镑的面孔》（*The Twelve-Pound Look*）等许多剧作。巴蕾和前举几个人不同，他不大想在剧作中宣传思想，不诉诸人的理智，而诉诸人的情绪。他的最著名的作品是写"童话之国"的《彼得潘》，主人公彼得潘希望自己一生都不长大为大人，只想飞到"永不境"（Never Never Nerver Land）去跟神仙做朋友。这剧先用小说形式发表，后又用戏剧形式发表。巴蕾的最长处是写实主义和浪漫主义，现实和空想两者交错。他的剧《星特莱拉的一吻》即是代表。

曼殊斐儿（J.Masefield，1878— ）青年时代在海上过生活，1895—1897住在美国，为了生活做种种事情。至1903年始为诗歌批评家而闻世，写了许多诗和小说，同时也是英国写诗剧的代表作家，所以在此不能不加叙述。他执笔写剧是受了友人夏芝和沁孤的影响，初写《皇帝斐力浦》（*Philip the King*）和《基督磔刑之日》（*Good Friday*），并不见有什么杰出之处。直到写了《南姑娘的悲剧》（*The Tragedy of Nan*）才显出他的才能，这可说是伊利莎白时代以来的优秀剧本之一。《忠臣》（*The Faithful*）、《庞培大王》（*Pompey the*

Great),都采题材于过去,《梅罗尼荷尔兹判》(*Melloney Holtspur*)和《忠臣》一样以复仇为主题。当然,曼殊斐儿的成就,始终是在"诗"上。

欧洲大战之后,英国戏剧并不衰落,雄飞于此时剧坛的,如特林克华脱(John Drinkwater)、福莱卡(James Flecker)、苏东文(Sutton Vans)、米伦(A.A.Milne)、迪恩女士(Clemence Dane)、孟克哈斯(A.Mankhouse)、孟洛(C. K.Munro)等人。

在此仅举特林克华脱为代表。他生于1882年,大战前,他作为诗人,已自成一家,又创办Birmingham Repertory剧场,为剧作家而活动,当时名声不过是"地方的",到1918年出《林肯》(*Abraham Lincoln*)一剧,他即成为全英国的甚至"世界的"了。这时易卜生的写实主义之后,正有恶影响产生,那就是孜孜于时间一致及地点一致,特林克华脱的《林肯》却开了新的路,可说是"莎翁的复归"。同时他的剧本所处理的题材,以"恋爱""战争"为多,如《叛逆》(*The Rebellion*)、《珂弗妥亚王》(*King Cophetua*),都处理"恋爱";《托路伊战役的某夜》(*A Night of Trojan War*),则处理战争。

近年来的英国剧坛并不寂寞,尤其欧洲大战之后。现在我们转而看看爱尔兰，叙述爱尔兰的戏剧，必须由夏芝说起。夏芝是诗人，在此说戏剧仍须由他说起，因为乔治·摩尔说过："一切爱尔兰的文艺运动，始发于夏芝，终归于夏芝。"所以我也得这样办。

夏芝（William Yeats，1865—1939）生于都柏林故乡，在伦敦受教育之后，即为诗人，是爱尔兰文艺复兴的大人物。处女作叙事诗《奥森的漫游》（*The Wandering of Oisin*，1889）、抒情集《芦中风》（*The Wind Among the Reeds*，1899）出版，即负盛名，登文坛高位。散文有《善良和罪恶的观念》（*Ideals of Good and Evil*，1903）。全集六卷，包含《最近的诗》（*Later Poems*，1923）、《散文和韵文的戏剧》（*Plays in Prose and Verse*，1923）、《戏剧和辩论》（*Plays and Controversies*，1923）、《论文》（*Essays*，1924）、《早期的诗和故事》（*Early Poems and Stories*，1925）、《自传》（*Autobiographies*，1926）。他于1923年得诺贝尔奖金，旋为爱尔兰自由的元老院中之一元老。他除诗外，在戏剧上更有贡献，办剧场，干剧运，并写剧本。他的剧作著名的有《心园》（*The Land of Heart's Desire*）、《玻璃时表》（*The Hour Glass*）、《朦胧的水》（*The Shadowy Water*）、《卡塞林尼荷利汉》（*Cathleen Ni Houlihan*）、《虚无之国》（*Where*

There is Nothing)、《王之门》(The King's Threshold)、《绿盔》(The Green Helmet)、《四出舞蹈剧》(Four Plays for Dancer)、《培尔之滨》(On Baile's Strand)、《演员的女王》(The Player Queen)等，最好的是《心园》，最有异色的是《四出舞蹈剧》，最有舞台效果的是《卡塞林尼荷利汉》，尤其后者，是他唯一用散文写的剧。夏芝的戏剧论却有点异样，自从希腊的亚里士多德以来，大致都认为动作和性格是演剧上不可缺的东西；他反之，至于排斥性格和动作，而以热情和言辞为演剧的本质，在他那《爱尔兰戏剧集》的序文中，他发表了这样的见解。

格莱哥里夫人（Lady Augusta Gregory，1852—1932）最初不过以美丽的散文将古代传说近代化、民众化罢了，其中如 *Cuchulain of Muirthemen*、*Gods and Fighting Men* 等都很有名，也可说是爱尔兰乡土剧的胚胎。如果认夏芝为爱尔兰剧场之父，就该认她为爱尔兰剧场之母。她的处女剧作《二十五》(Twenty-five)，于1902年上演，以后她的剧常在国民剧场上演。据说夏芝有些剧作还经她增删过。她所写的以独幕剧为主，收在几个集子里，如《七篇短剧集》(Seven Short Plays，1909)、《爱尔兰民族史剧集》(Irish Folk History Plays，1912)、《新喜剧集》(New Comedies，

1913，又一集1923）、《三篇最近的剧》(*Three Last Plays*，1928)，此外她还有一本1914年出版的自传《我们的爱尔兰剧场》(*Our Irish Theater*)。她的剧作基础完全建筑在地方色彩的人物和民间故事上，以短喜剧为最拿手，《新闻之传播》(*Spreading News*)、《乌鸦》(*Jack Daw*)、《吠影吠声》(*Hyacin-the Halvey*)、《满月》(*The Full Moon*)、《养育院的一室》(*Work House Ward*)、《月亮上升》(*The Rising the Moon*)、《牢狱之门》(*The Goal Gate*)等都极有名。

约翰·沁孤（John M.Synge，1871—1909），1892年卒业于都柏林的三一学院，为爱尔兰人所特有的放浪所驱使，带着梵哑铃去漫游欧洲大陆，两三年后，在德国完了音乐的学习，乃赴巴黎，以月评和杂文为每日食粮。1898年偶然会晤了夏芝，劝他到爱尔兰西海岸的孤岛去，不久他亦离开巴黎到阿兰岛（The Aran Islands）去过原始的生活，他对于该岛的惊异，在他的《阿兰岛纪行》里可看到。从此他找到许多人所未见和未云的题材，写成了关于"山"的《谷影》(*In the Shadow of the Glen*)、关于"水"的《骑马下海的人们》(*Riders to the Sea*)，另外写了《圣泉》(*The Well of the Saints*)、《西方健儿》(*The Playboy of Western World*)、《补锅匠的婚礼》(*The Tinker's Wedding*)、《悲哀的玳玳儿》(*Deirdre of the Sorrow*)。《谷影》中的娜拉和易卜生的娜拉一样对家庭生活不满而离家；不同的是这位娜拉系为罗曼蒂克的放浪欲所驱使而离家。这剧上演，曾受爱尔兰爱国的人们攻击。到了描写自然和人间纠纷的《骑马下海的人们》出来，先前骂他的人对他表示惊佩感叹！而且在他处演也得好评。《圣泉》和杰作《西方健儿》都写对于现实专制的反抗；《补锅匠的婚礼》则是他的作品中最不行的一个。

邓塞尼（Dunsany，本名Edward John Moreton Drax Plunkett，1878—）生于贵族之家，在陆军大学念书，1899年袭爵位，普遍都称他为Lord Dunsany。欧洲大战时他任将校出征，辗转各地，写短篇故事早为人知。1902年起和新剧运动发生关系，1909年他的《辉煌的门》（*The Glittering Gate*）上演，不久他的作品在英、美各剧场上演，从此世界知名。他的作品是浪漫的（Romantic）和怪奇的（Grotesque）的结合，在手法上说，剧情较故事好些。受希腊及东洋文学的影响，也受比利时梅特林克的感化，剧作所处理的题材大都是诗的、超自然的，近于夏芝而远离沁孤。爱尔兰的剧作家大都描写爱尔兰的神话传说，而邓塞尼则反之，喜欢描写东方各国，因此在他的剧作中所出现的神，不是爱尔兰的异教的多神教的神，而是唯一全知全能的神。《辉煌的门》中只听到那绝不威胁要开天堂门的皮尔和杰姆的哄笑声；《诸神的笑》(*The Laughter of Gods*)中的预言实现，也听到神的霹雳般的笑声。在《女王之敌》(*The Queen's Enemies*)及《金色的诅咒》(*The Golden Doom*)、《山神》(*The Gods of the Mountain*)、《旅店的一夜》(*The Night at An Inn*)、《黄金岛之王的妥协》(*The Compromise of the King of the Golden Islands*)、《阿琪米尼王和无名的武将》(*King Argimenes and the Unknown Warrior*)等中都看到神或战栗的存在。《旅店的一夜》及四幕剧《假如》(*If*)算是他的杰作，尤其后者，交错着罗曼斯的世界和现实的世界。他描写最美丽的剧本，可说是《女王的飞翔》(*The Flight of the Queen*)，此剧的女王不是人，而是蜂女王，不过不宜于上演，剧本韵律和言辞极美。

十二 美利坚

历史上的七年战争告终（1756—1763年，巴黎订和约止），法国放弃所有在北美洲（North America）的领土，自密西西比河（Mississippi）以东割让于英国，以西割让于西班牙。不久，英国除墨西哥（Mexico）外，实际上握有北美大部土地。到1776年7月4日，这些殖民地宣布独立，由华盛顿（Washington）指挥军队，初则胜少败多，但得法国助战，战争终于在1783年结束，英国承认美国的独立。这样到1788年宪法通过，十三州的新联合完成，这新美国的国基才算奠定。

这共和国有天然的资源，优良的港口，可航行的河道，人口众多，地域广大。在这样优良的条件下，商业、农业、工业一天一天地发达，财富便占世界上的第一位。在文化上说，我们不能忘记这新大陆文化的基本制度是从旧世界移植过来的，只因在这环境里较自由，所以发展得极速。这边所出的作品和联邦新宪法反而渡过大西洋到欧洲去，给予欧洲文化及政治以重大的影响。

但是美国自独立以后，在名义上是一个统一的国家，实际上在1806年以前并不然，当时各地方的封建思想太浓厚，人民的地方观念重于国家观念，结果演出了四年的内战。到1865年后，地方主义始日见减少，国家制度逐渐产生，进入十九世纪末期，才算真正的统一。

别说自真正的统一始，就从这国家的建立时数起到现在，为期也不久，但它的文化建设之速，实足惊人，这不能不归功于民主政治给予人民的自由。在文学上说，美国的文学是英国语言、英国传说所构成的，在自由的国土里便有了神速的发展，美国文学作品在脱离英国宣布独立之后才开始次第出版，由这一点，也可得到证明。

美国戏剧史上伟大的作家太少了，在世界剧坛上有显要地位者，恐怕只能举出奥尼尔一人。演剧的活动发轫并不迟，十八世纪初年，殖民地即开始发现英国的演员，因为那摧残文艺的清教徒流毒蔓延到新英格兰境内，在当时剧场表演受法律干涉，戏剧遭厄。到十八世纪末叶，才开放禁例。据说美国的第一位剧作者是高富雷（T.Godfrey，1736—1763），用无韵诗写的悲剧《柏西亚王太子》（*The Prince of Parthia*），于1767年演出；至第罗，戏剧始盛。

第罗（Royall Tyler，1757—1856）曾任佛蒙州（Vermont）的最高法官。在1787年，用散文写喜剧《对照》（*The Contrast*），把两个不同风度的人物比照得十分明晰，运用土语，趣味很浓，1912年在佛蒙州的勃莱得勒波罗（Brattleboro），由奥地斯基纳夫人（Mrs.Otis Kinner）导演演出。

邓拉普（W.Dunlap，1766—1839）写喜剧、悲剧、历史剧，范围比第罗广。他是纽约戏院的经理，作喜剧《父亲》（*The Father*，1789年排演）、历史剧《安得列》（*André*，1798年排演）、悲剧《勒塞脱》（*Leicester*，1794年排演）。他的作品大致都模仿德国哥策布（Von Kotzebue，

1761—1819)、席勒及其他德国剧作家的。在《安得列》的序里，可以看出有自罗马蒲拉图斯以来的系统的语词。他除写剧本使美国戏剧走上光明的大道之外，另一大贡献是在1832年出版了《美国早期戏剧史》。

潘恩（J.H.Payne，1791—1852）生于纽约，1813年在伦敦初登舞台，从事演剧三十年，是有名的演员，被人誉为"美国布希斯"（罗马名优）。他的《克拉利》（*Claris or The Maid of Milan*）歌剧中一首抒情诗《家，甜蜜的家》（*Home, Sweet Home*）极著名。据说他作了五十多个剧本，以翻案剧为多。现在被公认为早期美国戏剧重要作品的，是他的世俗喜剧《查理二世》（*Charles the Second*）及无韵诗悲剧《白鲁塔斯》（*Brutus*）。

十九世纪初期，剧院剧团的建立如雨后春笋，英国名优来美国者也很多。因为演剧盛，专为演员而写的剧本也就多了，例如勃特（R.N.Bird，1806—1854）长于写无韵诗的浪漫悲剧，也写其他剧本，他的《格门士》（*The Gladiator*）是专为名演员福莱斯特（B.Forrest）写作的，另一名剧为《保哥塔的经纪人》（*The Broker of Bagota*）。这一期的作者颇不乏人，于兹从略，但划时代的作品，却由安那·李琪写出来了。

安那·李琪（Anna Cora Mowatt Ritchie，1819—1870）写了《时流》（*Fashion*，1845）、《招摇过市》（*The Show Off*）和《第一年》（*The First Year*），尤其《时流》为美国第一个演得最成功的剧本，据说连演数百场卖座不衰。

这时期作者辈出，作品却并无特出的，在这里只举一位最伟大的作者费渠。

费渠（Clyde Fitch，1865—1909）写了五十多个剧本，有十多个是模仿法国喜剧的。他的作品演出不限于美国，英、法等国也有上演，名作有《攀缘者》（*The Climbers*）、《绿眼女郎》（*The Girl with the Green Eyes*）、《城市》（*The City*）、《真话》（*The Truth*）等，舞台技巧颇纯熟，对美国贡献很大。

踏入二十世纪，有许多更好的剧作家产生，这里只想举三位——潘西马盖、金那特和奥尼尔。

潘西马盖（Percy Mackaye，1875—）是诗人演员兼剧院经理之子，写过各种剧本，如《莎福和法盎》（*Sappho and Phaon*）、《母亲》（*Mother*）、《反婚姻》（*Anti Marrimony*）、《圣女贞德》（*Jeanne D'Arc*）、《稻草人》（*The Scarecrow*）等，同时对户外剧及假面剧都有贡献。

金那特（C.R.Kennedy，1871—）是侨居于纽约的英国人，专写宗教的题材，名作有《家仆》(*The Servant in the House*)、《可怕的温柔》(*The Terrible Meek*, 1911)，用北欧题材的《冬宴》(*The Winter Feast*)、用中国题材的《汉宫秋》(*The Flower of the Palace of Han*)等。

奥尼尔（E.O'Neill，1888—）生于纽约，为名优奥尼尔（James O'Neill）之子，少时过冒险流浪的生涯，最初是在他父亲的剧团中做事，之后，从纽约流浪到Buenos Aires，从南美又到南非，又从南非回到南美，因为南非的当局，不相信他有生活的能力。他曾从事于种种不同的职业：通信定票局的秘书、中美淘金者、电料公司打图样者、轮船上的看守者、报馆记者等职务，他都干过。到二十七岁时，因为肺部发现黑点，在疗养院医治了一年；可是这一年间，不仅他的健康恢复，同时他的精神也因而再生。他充分理解了自己所要做的事，而且已往的多方面的经验，驱使他去从事创作。从疗养院出来，他从培克教授（Prof. G.P.Baker）为师，在哈佛大学"四十七号工作室"严肃地学习戏剧技术。他以戏剧家的地位与舞台发生接触，始于Province-town的"小剧场运动"，那次他的处女独幕剧《东向卡迪夫》(*Bound East for Cardiffin*)演出了。1920年他的第一部长剧《天外》(*Beyond the Horizon*)发表，不仅在商业化的百乐汇路演出，而且还因而获得"普利则奖金"。

从此他的每一剧本演出，都被认为是剧界的重大事件。可是，奥尼尔第一次在营业上成功的戏还是1922年作的《安娜克里丝蒂》（*Anna Christia*），这个戏写一个风尘女子的生活。1928年发表的《奇异的插曲》（*Strange Interlude*），利用早经废弃的旁白，写人的双重人格，在题材及处理方法上曾引起狂热的讨论，他更因此名驰国外，这些作品差不多每年度都得普利则奖金。作品除上举者外，主要的有《加利比斯之月及其他海洋剧》（*The Moon of the Caribes and Other Plays of the Sea*，1919）、《琼斯皇帝》（*Emperor Jones*，1921）、《变异》（*Different*，1921）、《麦秆》（*The Stran*，1921）、《毛猿》（*The Hairy Ape*，1922）、《上帝之子皆生翼》（*All God's Children Got Wings*）、《榆树下的爱欲》（*Desire and the Elms*，1924）、《发电机》（*Dynamo*，1928）等。他受斯脱灵堡、卫德钦特及德国表现派的影响最多，对于性格的看法，则大受精神分析学家弗洛伊特（Freud）的影响。作品的特色，是能将写实主义和浪漫主义两者巧妙地融合，脱去传统的处理题材的方法，变化之多，也大可惊异，结构严谨，对话生动，故被全世界剧坛所欢迎。狄更生（T.H.Dickinson）在他的《美国的新剧作家》（*The Play Wrights of the New American Theater*）中说："奥尼尔觉得我们都在梦想，梦想我们的能力所达不到的；越是低能的人，越是勇敢地热情地梦想。"奥尼尔在美国、在世界剧坛，几乎是一种奇异的存在。

《西洋戏剧简史》版本一览

1. （上海）商务印书馆，1949年7月初版，1950年9月再版

2. （香港）商务印书馆，1964年1月重版，1965年8月第二次印刷

3. （台湾）兰灯文化事业公司，1987年9月初版，1990年重印

4. 广东高等教育出版社，据（上海）商务印书馆1950年9月版，收入《董每戡文集》（上册），1999年8月第一版

5. （长沙）岳麓书社，据（上海）商务印书馆1950年9月版，收入《董每戡集》（第三卷），2011年5月第一版

6. 本版据（长沙）岳麓书社2011年5月版《董每戡集》，并校订文字

戏剧的欣赏和创作

戏剧欣赏

这篇文章的题名是"戏剧欣赏",也就是要谈谈怎样欣赏戏剧。不过这里所说的欣赏,不只含有享受或吟味戏剧艺术的意思,而且含有评判优劣的意味,至少,不仅是当作一个普通的读者,而须带点行家的态度去欣赏。首先,有两点须先声明:在这里所说的戏剧不包括一切种类的戏剧,要谈的只限于话剧;其次,因为戏剧作品不同于诗歌、散文、小说等文艺作品,它给人坐在书房里阅读之外,还必须给人在剧场里观赏,甚至后一点比前一点还来得切要。所以对于它的欣赏方法不止一种,拟分"怎样读剧"和"怎样看戏"两章来谈谈。

一 怎样读剧

本来,剧本就不是为我们读而作的,古代到中世纪都没有流行读剧的风气，近代方有这风气，而且越下去这风气越盛起来，因之，文学的气息也越浓起来，这给戏剧艺术的影响有好处也有坏处。不过戏剧终究是戏剧，谁都不会拿欣赏诗歌、小说那样的眼光和方法去欣赏剧本，都会以"另眼看待"，那么，这原因在哪里呢？

我们知道，一个人纵是坐在书桌前或躺在床上读剧本，严格点说，他得先准备好一种心情——读演剧艺术的脚本的心情，也就是说该有坐在剧场里看演戏的心情或方法来读剧，简单点说，便是他心目中有舞台；要不然，他就不能正确地辨别出那个剧本的好或坏，因为一个剧本毕竟是为剧场而产生，不是为书房而产生。虽说在古代就有了一种宜于书房读而不大宜于舞台上表演的剧本，罗马的辛尼加就写过这一类悲剧，但这是例外，也是不足为训的。真正的好剧本，古今中外都宜于读，而尤其宜于演的。这原因很简单，因为戏剧本身原具备着两重性，作剧者首先须顾到这一个特征，而读剧者也必须重视这一个特征，可以说一个剧本的优劣由此而定下来，同时读者的欣赏行为也以此为起点。

那么，首先，诸位定要问："什么是两重性？"说起来，这很简单，我是说诗人、散文家、小说家不受时间和空间的限制，可以为所欲为；而剧作者则不然，处处受着束缚，尤其必要顾到作品既可供人读,又可供人演这一点,也就是说剧本必须具有文学性和演剧性,剧作家、批评家、读者、观众都得注意这两重性。

关于这,让我先引点他人的话作为说明。

哈密尔顿说:

> 戏剧是一个特意编来由演员在舞台上观众前表演的故事。

这个定义下得很不错。小说虽然也是写一个故事,但它并不要对演员和舞台负责任,就是集体的观众也有别于个别的读者,这就是说剧作家是为演员的排演而计划故事,计划剧本必须适合在舞台上观众前演出的,所谓"演剧性"也即指此。同时剧本毕竟是文艺作品,"文学性"自然也不能不具备。

韩德对这两重性有很好的说明,他说:

> 所谓戏剧的(即文学性)和演剧的(即演剧性)这两个名称之间,确有一种正当的差别,前者指诗歌的内在品性,后者指是否适宜于上演。

并且,他不厌烦地更详尽地说明,同时,强调了演剧性。

诗歌中的剧本，也必须不但具备文学的品性，而并具备戏剧的或排演的品性，以期舞台上获得成功。它必须具有舞台的品性，就是使适宜于公演的那点东西。戏剧作者的第一问题，便是如何可以使他的思想体现于能够拿去表演的书面形式。

诗歌、散文、小说虽同是一种具现作者思想的书面形式，它们没有具备能够拿去"由演员在舞台上观众前表演"的义务，独只剧作者必须忠实履行这个义务，从而使这个书面形式，不同于其他的书面形式，同时，不只外面的形式，即内在的内容也自有不同了。

在读者最容易最首先感到它不同于其他文艺作品的，恐怕就是用文字这媒介物传达感情和事件的方法：剧作者并不是用他的笔在描叙，而是使每个剧中人在那里说话——简单明白合情合理的话。自然，这些话应该具有文学性，因为它终究是文艺作品中的话，但又和散文中的话不一样，马修士教授有几句话恰好移来做这一点的注释，他说：

> 文学和口语间的差别，即专诉诸眼目的文学和专诉诸耳朵的文学间的差别，是没有比它更为明显的了。

实则同属文学的,所差就只"给眼睛看"和"给耳朵听"一点,可是这距离就相当遥远。例如说我国的戏剧,除了"宾白"外固不一定全用口语,但曲词仍具有口语的品性,所以王国维捧元剧也特别指出:"述事则如其口出。"这确是戏剧之所以为戏剧,不同于其他文学作品的要点。并且,戏剧中的歌词或对白能不能奏其效能,全在乎观众的耳朵受用与否,至于整体说来,当然与其诉诸耳朵,不如诉诸眼睛。戏剧首重于表现出来,次重于对说出来,动作重于言辞,已是公认的戏剧规律,况且"戏剧"这名词在希腊语的原义便是"行动",在中国也没有两样,从虍从戈从刀(或力),都离不了相持斗争的行为,所以"意志斗争说"的发明者蒲鲁奈谛会说:

> 一个剧本并无必须是文学的之义务。

因此,一个剧作家不可没有舞台知识,至于文学修养,反变为从属的才能,有固好,无也可以。所以森次巴里才敢武断地说:

> 凡是没有舞台的实用知识的,都不能写出一本可演的剧本。

戏剧的欣赏和创作

事实的确如此，古往今来不知有多少才人从事过作剧，常因没有舞台的实用知识，只凭自己的所谓灵感，信笔写来，其作品结果很少宜于舞台演出，激动坐在剧场中的观众。

当然，倘使剧作者既有舞台知识，又有文学修养，写起作品来，既能顾到演剧性，又能顾到文学性，这个工作自然达到完满的境地。况且能垂之久远的上乘作品也往往是两者俱备的，莎士比亚的剧本就是绝好的证品，所以有人说：

> 一个剧本的垂久，虽然靠着它的文学的品性，它的成功却靠着戏剧的品性。

就是韩德也不否认这样的看法，他说：

> 理想的戏剧是同时可以表演的，也能符合最好文学的模范的。

于是，一个读剧本的人，首先须懂得这个基本的道理，那么读起剧本来才不会偏嗜，评判起所读的剧本的价值来也不致欠公正。这个原则，我想大有益于诸位欣赏戏剧艺术的。

接下来，谈谈诸位拿起一本剧首先触到的东西，这里，我不能像讲作剧法那样的依照亚里士多德老先生所说的"一曰布局，二曰性格，三曰措辞，四曰思想，五曰设境，六曰歌曲"的步骤讲，该就读剧本者通常接触到的次第讲。我以为第一投到你眼里的该会是对话和舞台指示。

对一个学作剧的人，我就讲措辞；对诸位要读剧的，只能讲如何欣赏台词。原则是一样的，有一个基本条件，在作剧者和读剧者都感觉重要，那就是"先认识舞台"。因为作者措造台词的方法，或读者欣赏的方法，都须先注意它是为哪种样式的舞台而产生。原因是剧本台词的内容和形式都随着舞台样式的变迁而不同，譬如用突出的讲坛式舞台的时期，和用圆腰式，甚至镜框式的时期所用的台词便迥然不同。即以英国剧而论，在十六、十七世纪的剧作者，大致都以台词描写一切的，那是因为当时舞台样式使他们不能不如此，诗体的台词也就适用于当时，我们大致称这个时期的剧作为"修辞剧"。到了十八世纪，舞台样式变了，那时英国的剧作以散文的对话体的会话剧为最合用。及至十九世纪，舞台前的圆腰式的口舌缩了进去，台词虽然还适用对话体的，可是对话所负担的任务和先前的大不相同了；这时，动作占了首位，对话便只有辅助动作的义务，这个时期的剧，我们呼它为"幻象剧"。说明白点，就是台词在第一期的目的在于描写景象和事件而表现出浓烈的诗趣；第二期的目的在于表现会话本身的美好；第三期的目的在于辅助动作表现逼真的实际生活。由此，诸位可明了读剧者不能以一个固定的看法去欣赏、评判剧本的，对于舞台的发展先得弄清楚才行，否则以欣赏莎士比亚剧的方法去欣赏平内罗或近代诸家的作品，怎么可以呢？近代有些批评家们冤枉了剧作者，也全因此。

总之，诗歌是一切文学中最高的文体，而戏剧比诗歌还高一层，即使用散文写对话，也得免散漫，极力求紧缩。小说家有时虽然说着"闲话少说，言归正传"的话，实际上早已说过一大篇闲话，接下还不免有一大堆废话；剧作家几乎全不可能说闲话和废话，甚至为了情感的紧接和动作的发展，往往必须"三言并作两语说"。因为观众的耳朵要求越来越强的刺激，他们就爱听每一句每一字有力量，既简练，又精致，有意义，不幽晦的言语，要求着"增一分就太长，减一分便太短"那样恰好的美人似的，希望剧作者给他读或听多说一句便嫌噜苏，少说一句又嫌缺少那样刚合式的剧本，你能说剧本的读者或观众太苛求吗？不，剧作家应尽这样的义务，而且，这也就是艺术，戏剧的艺术。

归根结底地说，这为的戏剧是行动的模仿、人生的模仿，台词不只辅助动作之不足，每一句话的自身就会有动作，这才配称为"台词";否则是茶馆里的"摆龙门阵",闲扯淡,其他文艺作品里或可容纳一点这样的闲言闲语,剧本里几乎一点儿都不必要。正如培克教授说的:

> 剧作家的共同目的,是双重的:第一是尽可能地立刻博得观众的注意;第二是保持观众的兴趣不动摇,或者更好是能增进他们的兴趣以迄于闭幕。

为了受时间的限制,所以须"立刻",其他文艺作家可没有这个限制。诸位想剧作家够多么不自由,他的智慧不能自由地驰骋,想象不能自由地翱翔,心里纵有千言万语要说,观众不容许他尽量倾吐,性急的观众就只要你中窍要的三言两语。倍克也说过:

> "情感跟着情感",是一切好戏的公式。比照一个几何原则,"一个戏是情感和情感之间最短的距离"。

对的!"情感跟着情感",然而,也可以说"行动跟着行动",必须跟着,立刻跟着,方能渐高涨,渐发展,中间不能有较长的距离;"平铺直叙法"在戏剧上没有立足的余地,写戏、演戏、看戏就像爬山，越爬越高，越爬越急，脸红气喘在所不惜，总求逐渐而急速跃登高峰为甘心。剧作家也许弄得精疲力竭，观众却满足了；反之，剧作家也得到代价，作品成功了，读剧本者对作者的要求也该和观众一样，欣赏台词也着眼在此。

不过，台词为了必须紧凑、洗练，往往不能够把事件，尤其剧中人的心理上微妙的变化以及其他说个一干二净的透彻，所以用"舞台指示"那些括弧内的文字来补足。这虽然不及台词那么重要，却也可说是相当重要的，它对观众虽无直接关系，对导演、演员、舞台艺术家以及读者都大有裨益。在全世界的剧作家中最看重它的，恐就是萧伯纳，他不只把舞台指示写得极详尽，还常感不足，且以序文来补足，有时序文比正文对话还多些，例如他的《结婚》一剧，本文仅八十余页，序文竟达一百页之多，在这一本书中由社会的、法律的、宗教的各方面论到结婚，历举许多弊害、悲剧和例外而冲破现在结婚制度的弊病等等，所以有人称萧为"序文的人"。固然是例外，但在欣赏剧本的人方面，确可以借它而更深一层地理解作品，导演、演员以及舞台艺术家就获益更多了。

有一点，诸位该注意！"舞台指示"是台词的补遗，把不必要不可能用台词写出，然而还得要的余意，作者往往用舞指示代替台词尽义务，并不是给剧作者在括弧中卖弄不大必要的小说家的才能。这一点，确乎是重要的，欣赏剧本在这点上须明了！

除了台词和舞台指示，接下来触到的是故事和结构，对学作剧的人讲，这是第一项，就是亚里士多德也特别强调的"布局"。至于故事，凡叙事诗、小说、戏剧都需要故事，不同的是在于结构；在这里，为了字数所限，不谈故事本身，只谈剧本应有怎样精心的设计；自然，也只能谈一种原则或方法，不一一详及。

前头已说过，戏剧就是人生行动的模仿，为舞台这空间及演出的时间限制，它必须是一连串行动。格罗塞说：

> 戏剧，可以说不是表现摇橹似的单纯的动作，而是表现逐渐发展的一串行动。

这末尾"逐渐发展的一串行动"九个字极有价值，剧作者须依据这九字原则安排故事的结构，而读者也可以此衡量作品的优劣。一个故事系平铺直叙出来的固属劣等方法，但只见波起波落曲折离奇，也不必贸然叫好，须有层次段落地发展行动以表现故事。亚里士多德所提出的起、中、讫，不无正确的见

地,至今还可珍重视之!亚氏说:

> ……凡悲剧所模仿的动作,必须首尾完整,且定要具有几何的度量……所谓完整,意思是指事件之有"起""中""讫"。事件的"起",就是说它的发生不因缘于其他事件,却定有其他事件承接在它的后头。"讫"则反之,一定因缘他事而起,且别无他事承接在它的后头。"中"呢,是事件既承上,又启下的,所以结构完善的剧情,决不偶为起讫,必须符合这个原则的。

看一个故事安排得首尾完善的作品,读者至于认为它无疵可指责,那么对读小说的要求就够了。若对读剧本则还感不足,读者和观众都会要求一个剧本得有危机四伏,紧张动人,尤其是观众,所要求的是刺激,虽然为了寻求娱乐进剧场,却最愿意替台上人担忧落泪,这种心情影响到剧本的创作技巧。关于这,让我在下面怎样看戏中讲,此刻从略。

读完了整个剧本,诸位一定要研究这作品的主题是否明显?思想是否正确?人物的性格是否描得成功?诸如此类问题,大致和欣赏其他文艺作品差不多,在此也不另论述了。

二　怎样看戏

自然，看剧和读剧有很多共通之点，为了恐怕跟前面在怎样读剧的标题下所讲的雷同起见，当极力企图避免重复。

一个人为什么走进剧场？

定有人天真地回答说："是为了娱乐。"有些从事戏剧艺术工作的人，一听见这样的答语，就不大高兴，甚至会发脾气，认为你看轻了戏剧艺术，也侮辱了戏剧工作者。然而，我也是一个戏剧工作者，并不这样想，认为你说"为了娱乐"，是没有说错。就是希腊的亚里士多德也认为戏剧，甚至一切艺术的目的在于给人以娱乐，或合理地享乐呢！你想，要是一个人走进剧场不是为了娱乐，难道还是专诚地拿出钱来去受教训吗？人类竟会傻到这样地步吗？不会的！可是话又得说回来，倘演剧的目的仅在于娱乐剧场的观众，那么它本身不致有很高的价值，同时，也不会使为戏剧艺术工作者的我们对它热衷了。这里我的意思也只是说观众进剧场寻取娱乐，戏剧工作者给予娱乐是必然的条件之一，而且是你不给也不成的一项任务，跟着自然还有第二项第三项，以至于数不清道不明的作用。

不错，戏剧艺术家要给予观众的不止娱乐而已，必然地，至少要给予观众一些教训。罗马的贺拉西就以为诗人所创造的作品,大致都有三种效果:第一给予人以利益或教训,第二给予人以娱乐,第三是两种兼予。自然,他是最赞成第三种,也就是主张教训和娱乐合而为一的。实则,观众也大致都不拒绝这两者,所以戏剧艺术家手里拿着的是教训和娱乐,他可以先伸出任何一只手,有时候两手齐伸。不过,观众总希望他先伸出的那一只手是拿着娱乐的手,也不妨跟着伸出第二只拿着教训的手。当然,教训,也即是我们所说的政治教育,那是必需的,倘演剧不具这种意义,演剧给予人的价值就不高了,所以列宁说:"我们的剧场将代替教堂的地位。"

似乎罗曼·罗兰也会认娱乐是剧场予人的第一点好处,手头无原书,不能引他所说的话以为证,只记得他以为剧场给人的好处主要的是这三点:(一)Joy(欢喜),(二)Energy(精力或能力),(三)Intelligence(知识)。真的,观众不妨说为了第一点Joy,戏剧工作者也该理解这第一点,那确无恶意侮蔑的意思含着;当然,那些专为第一点而进剧场的观众,不会是好观众,这也是事实,可是剧场不能拒绝他们,戏剧工作者该具有孔老夫子那种"有教无类"的心情和见解。同时,一个观众不是一块顽石,一个人只要进了剧场成为观众之一之后,即使是块顽石罢,也往往会同邻座的人一样点起头来的。

罗兰所说的第二点和第三点就乘机而自然地给了他们,且被他们下意识地接受了,这便是剧场的伟大。它之所以不同于学校的讲台和教会的讲坛就在此,而萧伯纳说"剧场就是学校"的理由也即在于此。中国人所谓"潜移默化"的作用就在这儿发生,"启迪愚顽"的效果便在娱乐着为娱乐而来的观众的时候实现了,毫不显勉强,且不露一丝痕迹,这娱乐不是很艺术的,而且很有价值的吗?

于是,谁都怀着一种企图——为娱乐,或为尝味人生,或为寻求知识,或为获得能力,而走进了比学校更有益些的剧场。在这时候,自然要选择一个合式的座位,你觉得这儿太偏左了,那儿太偏右了,不消说正中央最好;然而第一二排显得过分地靠近舞台,演员脸部的化装全看见,过分清楚了便破坏了Illusion(幻象)是不行的,得坐远些,看起来会像真实些;却不要坐在第十几排以后老远的座位,只怕演员的舞台经验不多,或根本没有经过声音的训练,说起台词来声音一出口腔经空气阻挠就散了,至于听不清他究竟说些什么;那么,非坐较近些不可,好了,终于寻到了最合式的座位——在中央的第六七排心满意足地坐下来。这时,你一抬头也许看见台口旁边的墙下贴着一个"静"字,对的,静,确是欣赏艺术的起码条件,唯有静下你的心来,方能品味艺术,即使离开幕还有一些时间吧，但你已走进了剧场，就得屏息地等着，锣声或铃声响时告诉你启幕，也是促使你聚精会神，这时你得排除一切纷扰，最好心不二用地注意着前面的舞台。

幕启了，首先投入你眼里的是镜框中的画面，因为这是画面，你不能不考究画面的色彩和线条，也就在色彩和线条上面可大致理解到将要演悲剧抑是喜剧。这里，我可以举一，俾便反三。例如，你看见背景的色彩是那么深沉，深灰色的，或是老蓝色的，或是古铜色的，甚至是黑色的；而线条又是那么粗硬，那些门啦、窗啦都是垂直的，方格的，有生硬棱角的，大致所演的将是个悲剧吧？因为灰白色的灯光照着深沉的背景，已使你的心上浮起了阴郁的气氛，倘面前确展开一幅悲剧的人生经历的画图，你会不期然而然地激动，也许会哭出声来，这样，舞台艺术家就满足了。再例如，你看见和上面所说的恰相反的画面：色彩是那么鲜明爽朗，粉红色的、淡黄色的、水蓝色的，或是苹果绿的；而线条又是那么圆滑，那些门啦、窗啦都是弧线的、圆形的、流线型的，大致所演的将是个喜剧吧？因为淡黄的灯光照着艳丽的背景，已使你的心上荡漾着轻松爽快的气氛，在这样的氛围中，最容易微笑啊！舞台艺术家最欢喜要这种魔术，即使你早就留心不被玩弄，到这时候感情的力量往往能控制了理智，感染性会作祟，只要戏本身再给你一些刺激，你也许和邻座的看客一样不自禁地咯咯地笑出声来。事后，你回想起来，你心里定会说："微妙啊！艺术！"

剧场艺术就是这样微妙的，微妙的造成则依赖舞台艺术家之处不少。新的舞台艺术家常会在开幕的瞬间创造出平静的、内在的而且心理的感诉，他们首先把所演出的那本戏的基本精神，微妙地在舞台上暗示了出来，就由舞台装置和照明先唤起演员的演技所要造成的情调，使观众凭借半意识的暗示，将所谓悲剧的场面或喜剧的场面的印象，巧妙地保持到剧终。诸位要知道剧场之主要的要素，不外乎"戏剧""演技""舞台装置"三者，固然"舞台装置"（也包括了照明及其他）所占的并不是首位，它却贡献给你很多空间，使你明了时间的关系，最重要的是造出戏剧的气氛，使你下意识地置身于戏剧的氛围之中。斯坦克·杨说：

> 空间的关系，时间的要素，言语的价值，所谓演员的人的要素及其他。

这些是你所求于剧场的，剧场全得给你，前两者就全赖于舞台装置，所谓"演员的人的要素"固属首要，然而没有适应于他活动的装置，人的演出艺术便欠完整，所以泰洛夫说舞台装置是"为着作成供演员之自主的艺术之自由活动的空间"。

这样，你不得不看重虽属次要却是必要的舞台装置。我知道你们对舞台装置的要求只有两点，即美丽和像真。这在过去自然主义的舞台艺术家，也就斤斤计较，如何地做到美，如何地做到真，因此一丝一毫一点一滴地去模仿真实，结果是怎么样呢？现实是那么繁复庞杂，任你如何竭尽心力去模仿，也难免挂一漏万；别说漏万，只要有一点缺陷给你们发现，便全盘输了，就是说当你发现了一少许不真实，便破坏了整个真实的想象，越是求真，反显得假了。所以舞台艺术家的企图和你们的要求都得转一个方向，就因为这样，现代的舞台装置就和过去的不同了，就如高尔基说创造作品一样，他说："我们所见的一切事物，我们所生活着的一切条件，是由琐细事所构成的，正如同有机体是由眼睛看不见的细胞所构成的一样。一切琐细事虽都极其重要，但我们必须能周到地描写最典型最特质的东西。"同样地，新的舞台艺术家，一反自然主义的微细地模仿自然，努力创造似真实的幻想；同时，一方面避免极不自然的混乱，另一方面力避无理的模仿自然之幻灭的印象。于是现代的舞台装置的着力点不放在琐细的模仿上，而在于简朴和暗示，因之色彩，尤其是线条，尽了最大的责任，装置在Suggestion（暗示）上花费脑力，而观赏者也得从大处着眼了。

虽然你并不是为学习或批评艺术而来，只当作一个普通的观众，但为了寻找娱乐或知识，甚至能力而进了剧场。一个人往往在求实益之时附随地产生了审美观念，必然地有愈美愈合脾胃的要求，从而你要求色彩和线条的美丽和调和，要求气氛的恰好和诱惑，要求暗示得有意义且有力量。对啦，舞台艺术家就爱这样的观众。

等到画面上出现了人，你也同首先注意背景和道具的色彩线条一样，会注意人身上的服装的色彩线条。它也会配合得适宜，色彩较背景的稍深或稍浅，为的是使你远看起来分明，不致显不出有一个人嵌在画面上。这个深度和浅度经过艺术家头脑的考虑设计，在分明之外务求不和剧的性格和人的性格相抵触，要"恰如其分"。你不能看轻了这个设计的苦心，所谓"意匠"就在这些地方显其神通。

自然，最重要的是画面中的人。人，这更重要，因为任何真正的艺术的内容是人，是人在社会中的生活。那些了不起的艺术家们的本领就是善于真实地表现人和人的生活，所以你们也该对剧中的人特别注意。因之，你对扮装剧中人物的演员最关心，而演员就用他自己的颜面、身体、生命当作艺术的材料来创造角色，你对他往往会"爱之深，责之切"，要求于他不能不更多、更苛。然而他实在苦命，把艺术生命灌注入所扮演的角色，尽了最大的努力，一时间也许能得到你的赞誉，博得你的掌声，到剧终了、幕闭了，他的艺术生命所灌注的艺术作品就消失了。确如米盖朗琪罗雕塑雪像，尽最大的努力把艺术生命完全灌注了进去，精疲力竭之后固得到绝大的欢喜，毕生唯一成功的作品给他完成了；可是天亮了，太阳出来了，这唯一的精品——雪像——融化了，留下的不过是一堆雪水！演剧的人正是个雕塑雪像的艺术家，他的苦心的造就只能留那么短暂的一瞬间，但，他还得尽心力抓住这一瞬间；而你，为观众之一的你也须抓住这一瞬间，不能放松（心理上自然会有这样的要求），要不然，你太对不起尽心力创造角色的艺术家，而你事实上也毫无所得，那该多么可惜！

一般稍能欣赏戏剧艺术的观众，通常对演员注意到三点：一是动作，因为戏剧就是"说给眼睛的"，如果演员不能美妙地、有力地、真实地演出角色来，那个演员就不是好手，而这个戏也不会成为好戏，你们欣赏戏，主要的是欣赏演员的演出艺术；二是颜面表情和姿态，如果你们看见演员的颜面毫无表情，行坐起立时的姿态既不美观，又无力量，更不能把戏的内在的精神表达出来，不能把角色的性格雕塑出来，那么你们就会觉得是在听一个人的演讲，而不是在看戏，所以对这点特别要求得厉害；三是声音，因为你们一定要求听得清楚，之外，还要求能激动你们的感情，所以要求演员念台词的音质、音色、音量都恰到好处。固然这都是很表面的，如能具有评判这三事的能力，也就够了，因为你们只想做一个够水平的观众。讲到这三者，首先，得和演员一样须明了剧场艺术的两个法则——即"表现"（Presentation）和"再现"（Representation）。近代，尤其现代是看重"表现"的，就是放弃了过去的"模仿说"，而主张以演员自己的人格，翻译出剧中人的性格，演员必须完全理解剧中人的性格，抓住戏剧的灵魂，借剧场之特有的方法将它表现于舞台之上、观众之前。这不是原封不动地"再现"人生，而是以自己的人格和自己的理解"表现"人生，也就是演员以"内在的技巧"构想，且以"外在的技巧"表出。这理论的根源是因为自然不就是艺术，照原有的再现出来的不就是艺术品，经演员自己的人格和理解借剧场之特有的方法创造性地表现出来的，才是你所企求的艺术品。

同时，演员为这个理由，不能不用"剧场透视法"。而作为观众的你自己究竟是坐在舞台之前，因而有了距离。例如你看一幅画，拿在手上看，那幅画的线条、色彩、阴影看得一清二楚，觉得非常合式；倘放在距离你们较远的，而又是较高的地方，你看起来，那就不能像拿在手里看时那样的清楚了，甚至，线条、色彩、阴影都变得模糊了。所以，在这里，演员常在动作、姿态表情及声音三者上容许有适度的夸张，却是一切为了你以及比你坐得距离舞台更远的观众而放大放粗放高了，这尤其是在还属于自然主义时代的建筑的中国舞台上，更为必要。就例如说台词吧，也一定不和我们日常谈话似的平板乏味，正如那以演《西哈诺》著名的法国演员柯克兰所说：

> 剧场不是会客室，用在暖炉之前以几个朋友为对手谈话似的调子对充满了剧场的数千观客说话，是极不合理的！假使不变音调，他们就听不到，假使不清清楚楚而明晰地发音，他们就不懂台词的意味。

所以你必须记住演员给你的一切绝不会像日常生活中所有的东西一丝一毫也不走样的原状，假使你说他演得不像你所看到的那样逼真，那也许是你错了，因为你忘了自己看见的是戏——艺术品，演员是创造真实的性格、艺术的人生，且艺术家都免不了把它加以夸张。法捷耶夫就说过这话："真正的艺术——这从来就是夸张，就是夸大化。"何况在和你们有距离且稍高的舞台上演出的人生。不过一种优秀的演出定会使你忘了他们是在演戏，反之，这演出必不优秀。赫伯尔也说过这样的话：

> 优秀的戏剧演出，给了活生生如梦的印象，我知道它并不是真实；然而我怎么也不能使自己离开它。

在演员、在观众都沉潜于创造力之中，定会产生了"剧场的世界"的真实。当然，这依然是Presentation的真实，不是Representation的真实，而这表现真实的魅惑力才会使你明知是由演技造成的，却怎么也离不开它。

跟着，你在辨别演员的技术之好和坏时，必然地会触到导演的艺术；不过导演这一份劳心劳力都混在演员的表演中，一个普通的观众都分不清哪些功过该归导演，哪些成败是属于演员的，只能笼统地说出戏的优劣。本来，剧场艺术是集体艺术，要你把它当整体看，它原是个有机体，不容分解；然而在本质上说应能区别，不只是明责任，也可帮助更深一层地理解戏剧艺术。在这里，不妨把浅而易见的一些作为举例。譬如说角色在舞台上的或站或坐或移动所占的区位吧，那都是导演所规定的，经久毫无变动，往往显得板滞，使你看得不耐烦；反之，时刻见变动又显得杂乱无章，使你看得眼花缭乱。少变化使画面呆板，固不美；多移动使画面混沌，也不美。这里需要"意匠",构成调和、新鲜、恰好的画面才叫你看着心里头舒服;但问题又来了,往往病疵就出在这里。因为导演只顾到了画面动人的美,最容易忘却了导演艺术的本质,变成只会运斧斤的俗匠,没有抓住画面的变化之必然的根源,莫问来由地叫演员移动,既无心理上、生理上的要求,又无事实上的必需,专心为了美,恰一味不合理,这样就不可能给予你合情合理的"现实感",真糟!而观众所要求的是"现实+合理+美",反乎这要求,怎么也不能说这导演是有功无过的。

这是最浅易的例,至于整个戏的节奏(Phythm)适当不、氛围(Atmosphere)恰好不等等比较难一些的问题都会在为观众者的你提出要求来,一个好导演都会以具体的事实答复你的。的确如是,一个合理想的导演,他会利用演员动作、剧本台词、装置、照明、音响、画面、服装、道具这八种东西,清除去无变化、不自然、悖情理的弊病,造就一幅旋律活泼、节奏分明、气氛浓烈、画面动人的现实人生的Sketch,使你感到恍惚、陶醉!因为导演的基本任务就是组合各个部分成为一个和谐的整体。

不消说,理解能力较强的观众,对于导演还另有苛求,例如塑造角色的性格,安置行为发展的重点,诸如此类的成就之多寡都在他们的心里计算着划分数。这在普通观众是不必要的，正如雨果把观众区分时所说：

> 剧场里的观众可以分为三种：一是思想家，这种人要求性格的描写；一是妇女，这种人要求感情的刺激；一是普通群众，这种人要求动作。

你们该属第二第三种，感情的刺激和动作的表现倘由导演、演员以及舞台艺术家好好地办到，你们可不求其他了。因为你们不会像思想家那样冷静，你们是普通的群众，会至于喜怒哀乐概不由己，你们最易融解在群众的感情之中，绝不会冷静地用科学的解剖刀来分析一个戏，而我在讲怎样看戏的方法上也可不必多讲高深的道理。不过，雨果所谓感情和动作，存在乎故事本身之处较多，导演、演员、舞台艺术家只尽传达的义务，所以第二第三种观众最看重故事；同时动作不专指人的四肢五官的动，是指剧中人之行为的发展，也就是故事的构成。因此，你们坐在剧场中看着看着必然地触到故事本身这一问题上来，也就是触到处理题材成故事的手法，以及故事有否主题和主题是否明确的问题，说起来又是一大套，为了篇幅所限，只好暂搁起来，让我接下去另以"怎样作剧"的标题，下次再讲吧。

怎样作剧

姑且谈谈作剧术吧。

并不是我客气,实在,我用"姑且谈谈"四个字,也还显得不忠厚,因为作剧本无术,无非庸人自造之罢了;不过,近代剧艺科学中既然有这一门,也就冒充一回行家。

过去,一般地称作剧的技法为编剧法,这个"编"字似乎不很确切。他们以为就已有的材料编成一个动人的故事,再把它分幕用对话体编写起来,便成为一个剧本。基于这一种理由,正好名之曰"编剧",关于这一种编的技法,自然该叫"编剧法"。

实际上,是不是就这样简单呢?我想,倘若作剧这一工作真是这样轻松平常,那么剧作家便卑不足道,他不过仅是一个技术家,不,只能说是一个编剧匠,而不是一个批郤导窾游刃有余的庖丁,更遑论被称为艺术家了。因为只要有了技术就会编剧，就已有的材料予以一个戏剧艺术的形式就行，他不必有所谓创造的才能，也无须乎艺术。

就说编排已有的材料吧，大家都知道历史家也是干这种工作的人，那么剧作家是不是和历史家一样的呢？在这两者的区别上，正好说明是作剧而不是编剧的道理。历史家只就过去的事实加以程式地安排起来、叙述出来就够；剧作家则不然，基本的不同，由于剧本是要在剧场里演出用的一点而生，德国的拉辛说得好，他说：

> 悲剧不是对话的历史。

用对话写和不用对话写只是形式上的区别，那是无关重要的，最主要的区别是在它俩的本质，因之一个历史家的职责只在于正确地记录出已过去的事物，纵使剧作家和他有相同之点，也仅在于凭借历史的真实来诱惑观众的心而已。拉辛在他的《汉堡演剧论》第十一篇有这样一段话：

> ……为的是戏剧诗人不是历史家……历史的正确不是他的意向，但仅有的欲望只是他希图由它（历史的真实）达到他的意向；他希望由这诱惑来诱惑我们而触及我们的心。

并且剧作家处理和叙述题材的方法也和历史家的迥异,原因在哪里呢?德国的席勒说过:

> 一切叙述的形式,把一些现在的事物做成过去的;一切戏剧的形式,把过去造成现在。

这话可说扼要而中肯,因而可以说一个剧作家是正确且有效地叙述过去、现在和将来的事物,甚至把过去作成了现在,同时由洞察过去和现在的事物的本质而瞥见到将来,所以他的任务不止是技术地编写,而是要辩证地创作,这就是说需要艺术地创造,也正为了这艺术的创造,它才会有特殊的价值。于是,我不想照旧称之为编剧,而称之为"作剧"了。

可是,跟着就有了问题,那就是作剧真的有术吗?只要有术,自然学习一下就会,绝不太难,事实却又不是这样简单。一般地说是有其术,但可惜只是一些技术的原则,这些技术的原则也可以言传,你们根据这些原则也许可以编剧,却还不能作剧,也就是说看运用这些原则者的本领之有无和高低而定下他所作的好坏。倘运用得妙,它便成为比技术高一筹的技巧,然而历来的大匠也只能示人以技,却不能授人以巧;何况我根本不是大匠,当然不敢妄想传授所谓"心法",在这里纵有所云云，无非是一些老生常谈，炒炒冷饭罢了。

据说从前曾有很多青年男女跑到近代剧祖宗——挪威老人易卜生（Ibsen）那儿去请教"作剧术"，结果失望了！易卜生说他自己根本不知道什么是作剧术，只劝他们去试作着看。不仅易卜生这样，即苏联伟大的文豪高尔基也是这样，他在1897年已是一位在文坛露头角的作家，但还不曾染指作剧，翌年（1898）史坦尼斯拉夫斯基和丹钦珂在莫斯科创办艺术剧场，高尔基去看了艺术剧场的初次公演后便写信给契诃夫说："我从来连想象都没有想象到这样的演出和这样的环境……好极了！可惜我不住在莫斯科，要不然，我定要常常到这个不可思议的剧场去。"恰好，这个革新艺术的剧场很想把这位革新的青年作家拉过来，使他由文学家变为剧作家，可是高尔基声明自己不懂得舞台条件，所以不敢来从事作剧，而史坦尼斯拉夫斯基则答复以：

　　任何条件都没有的，坐下来写，而一切都对了。

史坦尼斯拉夫斯基和易卜生的说法是同样的"坐下来写"，既不要事先熟悉作剧法，又不要懂得舞台条件，只要试写，多写就行。去见易卜生的那些青年男女后来是否都成为剧作家，固然我们无法查考；高尔基的《小市民》和《夜店》两剧于1902年被艺术剧场连续上演，博得好评，因之一生共写了二十多个有空前成就的剧本，这一个事实是千真万确的！

一定有人要说："这许是偶然的吧？"

"一点也不偶然！"我以为。

易卜生对那些青年男女的答复和史坦尼斯拉夫斯基对高尔基的答复，都是经验之谈，而且都相信只要你能用心写都必然有成功的一日。你们想想古往今来有那么多的大剧作家，可是你们能指出哪一位曾写过一部名《作剧术》的书呢？似乎没有一个人写过。这一类书倒是那些不作剧或不能作剧的人写过一些，不是很可怪吗？不，这是很自然的事，毕竟所谓作剧术在已经有了不少剧作家和剧作之后方有，事实确是这样的，岂只希腊的埃斯库罗斯之前没有《作剧术》一书，甚至连"作剧术"这个词也还是近代才产生的，那么，一个剧作家，不事先知道作剧术也是很自然的。

现在，我却要像煞有介事地谈作剧术，岂不是笑话！所以我只能说姑且谈谈，谈些一般作剧的通则，不是说要读者诸君听了我这么一谈，你们就会写出杰作来。固然我也曾作过剧，却还不会写出过杰作。不过，倘使"没有规矩不能成方圆"这句老话还有百分之一二的理由，则我不妨姑妄谈之，而你们也不妨姑妄听之。上面说过大匠只能示人以技，不能授人以巧，正是这样：我固不是大匠，却曾从各处听来一些技——规矩，何妨在此示一下，至于巧，运用之妙，还存乎你们自己的才能和经验之中。

且说近代有不少戏剧学者，大都不是剧作家，他们却很严肃地著了一些戏剧作法之类的书籍，大学的戏剧系也列为必修课程之一。像马列文斯基就更进而认作剧是一种科学，旁征博引古今欧美的戏剧和戏剧论来论证戏剧的技巧，名其著作为《作剧的科学》，简直以为作剧术和其他一切科学同样，甚至可以代数方程式排列表现出来。他列式如下：

A+B+C+D+E+F+G+H+I=Aplay

你们想这稀奇不稀奇？无疑的，未免过分机械了。艺术当然是科学，但不可如此机械地用图解分析，所以颇有人讥笑他这个办法。实则依马列文斯基的看法，跟其他作剧术专家的不见得有遥远的距离，例如他的A是代表"基础的情绪"的，倍克教授也认"情绪"是最必要的，戏剧的技巧就是巧妙地把情绪在舞台上传达给观众，和马氏认"基础的情绪"是构成"主题"的东西，并无二致。所以他以为A由B"性格"体现出来，且加上C——即"环境""冲突""纠纷""阴谋"，"最终的转机"和走向"最高顶点"，始能使"基础的情绪"附有"动机",从而高下疾徐、抑扬顿挫地传了出来。自然,仅有这些,还不能具体地献给观众,这些不过是灵魂,还得加上D——即所谓"叙述""结构""故事",方能具体地进行。这若是在别的文学作品也许就够了;在戏剧似还嫌未足,必须加上E,就是用那一种"戏剧的境遇"构成剧情,必须明确地区分,因为我们常认戏剧的境遇为数达三十六,"条条大路通罗马",必须明示走哪一条路。这样,再加上F这"附加的细部的构造"及构成戏剧的表现之要素所决定的方向这一个G"基本观念"润色之,然后由H"言语"使之明了和由I"艺术力"使之理想化,上述的总和,便是恰好的戏剧。

当然,马列文斯基的立意初无错误,只是用代数方程式一表示,不免招致讥评,因之有人说照这样用方程式解析,其方程式该是:X+Y=Aplay。这讽刺实不无理由,就是说照他这么一来,作剧的秘诀便不是"已知数",而是"未知数",变成永远不可知的神秘了。我也同意这看法,因为巧妙固不能以言传,然而技法约略还可以说明的,要不然,那些作剧法一类长篇累牍的著作也不会产生了;同时,如果要简单地予以说明,也不是不可以,大仲马就曾以一语道破了作剧法。据说小仲马在二十岁时想开始试作戏剧,请他的爸爸教以作剧的秘诀,大仲马答说:

明快地写序幕，简洁地写结尾，而且到处有趣味就行。

好啦，诸位记住这话就够了，虽然我还得往下讲，不过是这句话的引申，当作闲扯淡也无不可。

但这里在讲作剧之前，我还要讲一个剧作者应有的准备。

谁运用作剧术呢？不消说是剧作者，倘使他的才能很好，而且很会巧妙地运用，那么，他的剧作一上舞台便很成功，论理该是这样，事实却不一定就这样。一般人只知道剧作家是天之骄子，作品一成功就浴在几千万人的掌声中，光荣之至！然而他有说不出的苦处，这苦处一向不被人们注意，我不妨稍提提。

剧作家虽然和诗人、散文家、小说家并称为文艺作家，命运却不一样，最大的原因就在乎有天才、有文学修养和生活经验的人便有可能成为诗人、散文家、小说家，却未必有可能成为剧作家，苦就产生于此，在必须是有天才、文学修养和生活经验之外，必须具有剧场的才能（自然这也可含在生活经验之内）。可是，话又得说回来，一个人全有了这些才能，就能成为一位有名望的剧作家吗？事实上还不可能，这样，只完备了他写作剧本的条件，还不能保证他的剧本一定成功。我们知道诗人写成了一首诗，散文家写成了一篇散文，小说家写成了一篇小说，交到了读者的手，他们的工作任务就完了，只要他们写得并不坏，经读者一读就决定了它的成功与否。俗话说"成也萧何，败也萧何"，命运由他自己决定，成败只系于他自己的才能，他人不能破坏它的成功。而恰恰相反，剧作家写成了一个剧本，他自己的工作任务虽已终了，作品的成败还不能决定，因为他必须经过放在剧场的舞台上，经过导演、演员和舞台艺术家之手，在大群的知识水平既不等、阶级又不同的观众之前演出后，才决定了成败。也就是说，剧本本身也许很好，倘使导演不行，它可能减色；导演也好了，可是演员不行，它也会失败；导演、演员都好了，但舞台艺术家不行，它还有可能降低价值。你们想，所谓"珠联璧合，事事如意"，该有多难！由此，可知剧作家的命运有多苦。

自然，不能说没有意外的幸运，例如一个并不见得好的剧本，一经好导演、好演员、好舞台艺术家的手使它大大地成功了，这样的事实，确是有过，但绝不会多；反之，一个很好的剧本，由一些才能不高的导演、演员、舞台艺术家弄失败了的事实倒是常见的。在这里，告诉我们一点有意义的理由，就是作剧是一件集体性的工作，剧作家不能孤立地成功，他得依靠群众。

以下，我分述一个剧作家最必须具备的条件：

（一）前面提到过天才，我们并不轻视，法国的伏尔泰以为天才是聪明的模仿；布封以为天才是吃苦的能力，所以主张训练；罗棱一派人都以为天才是人性的自然流露，其主要特征便是反对模仿；左拉则认为天才虽然存在，必须受实验的检讨；黑格尔以为天才是努力的结晶。这些名家都认为有所谓天才，我也不想否认；不过，天才在我看来并不稀奇古怪，天才只是人的实际生活经验的积累，这积累的反映就是人们所美称的"灵感"。一个剧作家需要不需要像我们所说的这一种天才呢？不消说是需要的，不积累实际生活的经验，不止不能创造，连模仿恐也办不到吧？真的，那些好以天才自许的瞧不起莎士比亚的伊利莎白时期的大学才人们，在我们的记忆里容易淡忘，反而莎翁终成不朽的瑰宝，其原因就在乎实际生活经验的积累特殊丰富。倘称此种丰富的源泉为天才，谁敢藐视它呢？因之，我们可以说剧作家第一须有天才——丰富的实际生活经验的积累。

（二）文学的修养，是任何文艺作家所必须有的，剧作家也不能例外。没有它，至多只能懂得技术而不能运用技巧，只能有模仿的本领，绝没有创作的才能，甚至连理解的能力也不能高深。当然，一个剧作家的文学修养不仅仅表现于剧本台词的构造，各方面都需要文学的修养来完成，因为剧本的本质是文学作品。

（三）剧场的才能，是其他文艺作家可以没有，而剧作家所不可缺的才能。因为剧场，尤其舞台给剧作家的限制是最严重的。一个小说家，可以写他所熟知的一切，大地山河、古今中外、奇花异草、珍禽怪兽，尽情描写，任意谈讲，只要读者有能力理解，有心情欣赏，悉随尊便，因为小说没有空间的限制，他的智慧可以自由地翱翔。剧作家写剧本能有这样的自由吗？谁都知道没有，为了剧本必须在舞台上演出，舞台的大小深浅有一定的限度，不能把你所熟知的、所想到的一切全搬上舞台。所以一个剧作家必须具有剧场的才能，近代很多人强调它可以区别出剧作家之不同于其他文艺作家，像森次巴里那样的文艺论者便武断地说：

> 凡是没有舞台的实用知识的，都不能写出一个可演的剧本。

这话虽然有过分强调剧场的才能之嫌，事实却确实如此。诸位总知道英国诗歌史上的巨人如拜伦、白朗宁、丁尼生等都曾写过剧本，并不是为他们的伟大的诗名所掩盖，可是他们就因为缺乏剧场的才能，终只能成为诗歌史上的巨人，不能成为戏剧史上的天才。反之，莎士比亚、莫里哀便会是装饰世界戏剧史的灿烂明星，其理由也正在此。他如法国的萨都富有剧场的才能而少有文学的才能，还能成为不可多得的剧作家，足见剧场的才能应被重视了。

实际上，剧作家须获得此项才能，不是主动的，可说是被动的，原因是居心要当一个剧作家，就有了许多客观的限制，你要通过这些限制，要应付裕如，你就得被迫而去获得这种才能，要不然，失败难免。剧作家像高栏赛跑的选手，先要练就一身本领，方能跳一栏又一栏地安然度过，走到成功之境。好了，闲话少说，还是归到一般的作剧方法吧。

中国的老先生们传授作文章的方法，不外乎"起""承""转""合"四个字，外国的老先生亚里士多德也同样地举出了"起"（Beginning）"中"（Middle）"讫"（Ending）三个字，其意义完全无二致，足见这便是作剧的"不二法门"。后世的作剧法专家如佛莱泰格、威廉阿契倍克等人的三分或五分法，都没有跳出这个圈子。希腊时代的戏剧大致都是三部曲（Triology），亚里士多德才归纳出"起""中""讫"的法则，三部恰分作缘起（Exposition）、急变（Peripetia）和结束（Catastrophe）三个步骤。十六世纪莎士比亚时代前后欧洲流行着五幕剧，照样各占一步骤，就变成五层，实际只将原有的"三"引申为"五",无大差异。所谓五层便是发端(Prologue)、纠葛(Perplexity)、顶点(Climax)、释明(Solution)和破裂(Catastrophe)。佛莱泰格还加了"发端将终时的高潮""进入释明处的悲壮""临到破裂前的最后的紧张",成为五部三局了。这里发端便是介绍说明(Introduction),也可说是原因(Cause);纠葛正是事件的展开(Development),也可说是行为的上升(Rising Action);顶点是全剧的高潮,也是这一座山的高峰;释明就是减去了冲突(Lossing of Confliction),也即是行为的下降(Falling Action);破裂正是悲剧的收场(Close),即一剧的结尾(Ending),在喜剧当然是大团圆(Happy ending)。至于每部的长度,本来可以自由,在乎一心的运用之妙就在这里显现。假使,一定要说一个大概,那么,按照把戏剧分为"起""中""讫"三部分,就该在"起"这一部分尽量明快地把戏剧的兴味创造起来;在"中"这一部分使已经创造起来的兴味持续增进;最后在"讫"这一部分必须把那兴味拉到顶点上来,而且走到了收束。同时在"起"部分介绍人物,并说出必要的过去的历史,往往这一部分比较"中""讫"两部分长一点;而"讫"这一部分呢,因为是最后一幕,它的开始离开戏剧的顶点并不很远,为了有一个紧张的结局,大致这一部分都比较的短点儿。在这里我不妨举例。

剑桥版的莎士比亚的《李尔王》是这样的：

第一幕　九页又二分之一
第二幕　七页
第三幕　六页又二分之一
第四幕　六页又四分之一
第五幕　五页又四分之一

萧伯纳的《康第达》是这样的：

第一幕　二十七页
第二幕　二十四页
第三幕　二十一页

高尔斯华绥的《银匣》是这样的：

第一幕　二十七页
第二幕　二十七页
第三幕　二十一页

自然，这些例子举得未免呆板，但你们也许可以由这里面看到一些消息吧。再者，为容易明白起见，不妨画下图来：

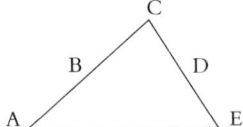

一般剧本的山形如上图，由"起"到"中"这一过程的长度，往往较由"中"到"讫"这一过程长些，原因是造成了最高潮之后不敢再拖长时间，恐怕过分泄去了紧张的情绪。这图中的（A）为缘起（Introduction），（B）为行为的上升（Rising Action），（C）为全剧行为的转捩点（Turning Point），（D）为行为的降落（Falling Action），（E）为收束结尾（Catastrophe）。

如果把全剧分为五幕，则如下图分析：

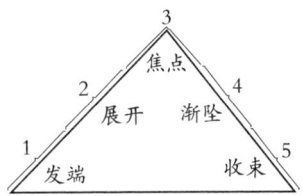

假使你是写三幕剧，你就得把这五个步骤合而为三，即在"起"部分包含了发端和展开，"讫"部分包含了渐坠和收束，把高潮放在"中"部分。再假使你写独幕剧，也不可能删

去任何一部分，正是"麻雀虽小，五脏俱全"，这就显得比多幕剧更难写了。本来就如是，譬如我国的旧诗词，看起来律诗比绝句难，实则不然，绝句虽只有四句，却四句等于作法上的四个字——起承转合，一点也不许浪费，形体小，写起来固易成篇，要写得好可真难；词也是这样，小调难于长调，所以唐、五代、北宋以后这方面的能手也就少了。写小说和戏剧何尝不如此？短篇难于长篇，独幕难于多幕，有经验的作者都明了此中辛苦。我们知道作剧本有三种技巧：第一是"本质的技巧"，这是经过任何时代都不大变更的法则；第二是"一时的技巧"，这是与时俱在、因国而异的法则；第三是"特殊的技巧"，这是依剧的种类而异的法则。独幕剧的技巧属于第三种，务须短小精悍，特别要求"印象的统一"。

在讲"怎样读剧"的时候我曾说过，作剧看剧都像爬一座高山，努力地爬上最高峰。一个稍有经验的剧作者都能办到，最难的是起步，开始走这边的山坡和由山巅向山那边下来到山坡这两段程途，诀窍无他，就是上举大仲马说的话；同时，运用所谓"三S"——令人疑虑（Suspense）、令人吃惊（Surprise）、令人安慰（Satisfaction）——造就和解决危机（Crisis）的方法是否佳妙就显在这由展开到收束一段旅途上。作者的能力之高低很易被测验出来，因为剧作这一座山，有平坦的山坡,有崎岖的半山腰,有高耸入云的山巅。我们登山的人如果由山坡走起,走到半山腰为止,再不上山去,那就觉得很不够劲似的,非一登其巅不可;看戏的人也一样,他最爱看的是由半山腰至山巅这一段,因为这段是最精彩的。在剧作中半山腰到山巅这过程就是"危机"(Crisis)所在处,山巅就是"高潮"(Climax)所在处。谁都知道一篇剧,必要有高潮,同样的剧作中必要有危机,但不一定要危机四伏,往往有因危机太多,反陷于不合理,易犯怪诞不经之病,所以作剧者要特别注意处理危机的手法。然而为什么一定要有危机呢?因为危机是使剧情趋于紧张,刺激观众的神经,所以它不能像前面那样的平淡,务须使人看到时生惊诧、惶恐之情,忧虑或疑惑之感。因为一个剧本,故事的开端发展,埋伏暗示,都是一路平铺白描,平淡无奇,纵有奇特之处,也绝无惊人之笔,使其显而易见;但由这平淡无奇之处发展到高潮所在,需要有紧张的危机,由此渡到高潮,方为合格。譬如我们爬山吧,绝不能由平坦的山坡一下子便超越许多阶层而上巍峨的山巅,自山坡至山巅一步一步地爬上去,这之间正是使你疲筋骨喘呼吸的阶段,爬山的人在这一段最感吃力。作剧者也在这一段最感吃力,然而能仔细运用你的技巧,把危机制造得出奇,解决得合理,令人满意,便可增高剧作的价值,抓住观众的心情,震撼观众的灵魂，剧作者在此就是费点气力也不是徒劳无益的。

于是有所谓"三S"秘诀，这方法原是指整个剧情的组成的，如果我们要说是指剧里危机的处理方法也无不可。简略地解释这秘诀，就可说：第一，作剧者须把剧中的危机制造得非常紧张动人，给观众一个疑问，使他起疑虑，而心里急求解决；第二，作剧者须把制造起来的危机加以解决，而且要解决得非常出奇，令人有意想不到竟会如此解决，不过解决的方法却不十分合理，在偶然中依然包含着必然；第三，作剧者务使观众能同意你的解决法，而且给予观众以适当的慰安，平下他那紧张的心情来。

同时，"危机"有时也许就是"高潮"，很难分得清楚，可是我们不一定固执地说两者含混了就不行。同时有些把危机放在高潮之后、结束之前的剧本也有，因为高潮过后，情绪渐坠，正如人由山巅向这一面下山来，山的这一面依然也有半山腰和山坡，但由高潮到结束经过渐坠的阶段仍须稍提高，才能得到一个紧张的结束，所以也可以有危机刺激观众的神经。本来，造就危机并不难，纵是说难还在于处理解决，老练的剧作家常把剧情收紧了又放松，放松了又收紧，到紧得无可再紧时马上解决放松；不过这是极危险的事，经验、才能差一点的作者，最好是不要铤而走险。固然以几收几放使剧情紧张，促观众注意是作剧者所要求的，剧作中也不可没有促观众注意的危机；但没有经验和才能的初学者还是抓紧和放松一次而再抓紧就行。

至于发端之难，那是任何一种文体都一样的；不过，戏剧的发端更难罢了。通常戏剧的发端有两种：一是以言语表出的，一是以行动表出的，当然前者没有后者好，说出不及演出动人。虽说这是烦难的工作，剧作家还该尽可能使事实的发端形象化，宜于演出，富有诱惑人的力量才好，该使观众打开始起就没有坐着听人叙述故事的感觉，反之有了看表现故事的感觉，甚至把他们忘我地引入了戏剧的境界中去。尤其独幕剧，发端更难，即一般独幕剧作法上所说的一开幕就须来个"预备说明"（Exposition），也就是说告诉观众剧前已发生的情事，和今后要发生的事件的端绪，但定须不浪费很多时间，马上引人入胜，因为它像短距离赛跑，起步即须着力，不能放松一秒钟，务须立刻提起观众们的兴趣。格莱哥里夫人的《月亮上升》一剧的开场先用行动表出，接着以言语表出，是一个好例。

通则是讲过了，进而讲稍实际的处理程序，拟分（一）取舍材料、（二）决定主题、（三）选择人物、（四）构成故事、（五）安排结构、（六）填写台词这六项逐一讲解。

（一）取舍材料　我们称作品的原料（Material）为素材，实际生活经验多的人，所见所闻的素材自多，但一切素材不是都可作题材，也许在你的见闻所及，记录所有的庞杂的许多素材中，只能有一点点可作为题材的，也说不定。一个人活到了八十岁，对生活若从不予以关心和体验，结果一无所得；反之，一个人还只活了二三十岁，体验生活切实而深刻，他就有满肚子可作为作品题材的素材。莎士比亚、高尔基所以有伟大的成就，即因他们不是在无关心地过了一生，而正因他们时刻在体验生活，洞察事物，对事物注意而深刻的理解，可能获得一切素材，且使之成为题材。这样，可说从生活的实践才能攫取素材，经过取舍然后变成题材。

所谓取舍，换句话说，就是剪裁。好像一块料子不就是一件衣服，必须经过剪裁拼搭然后成一件合身的衣服，是同一的理由。再则，料子绝不止是大小长短够不够做一件衣服的问题，还有花色是否合用，质地是否相宜等问题；素材也一样，取舍这一步功夫不得不下，因为题材之于作品，犹如血肉之于人身，关系重大，必须选择具备具体性和形象性的素材为题材，舍弃了太抽象的，选取了真实而有意义的素材来加工制造为题材。

还有一点，诸位更须注意，可加工变成诗歌、散文、小说之题材的素材，不一定可加工制造为戏剧的题材，因为有许多素材，任你如何加工制造，它只值得叙述出来的，不值得表演出来的，它本身缺乏动作。戏剧是要选取那些"可演的场面"（Scènes à faire）来组成的。举一个例吧，新中国成立前国民党反动派那一次改革币制，发金圆券啦，限价啦，也是素材，但只这些尚不能作戏剧的题材；及到了排队以黄金美钞换纸券，抢购物资的人群，商人抬价而被警察逮捕等等，这些熙熙攘攘的大场面就可用为戏剧的题材；不过场面太大了，又不宜于舞台的演出，这样稀有的现象最好用之于电影，确是些前史所无的奇事，是好画面，也有大噱头；到了限价取消，物价狂涨，米源断绝，家家断炊，金圆券贬值到等于老法币时，那些被骗去金钱的人家里因之不乏事变，例如夫妇吵架，先之拍桌打凳，继之号啕痛哭，越想越伤心，至于丈夫投河，或妻子上吊，诸如此类，正是"可演的场面"，是戏剧的素材，稍加整理，便成题材，这题材既具体化，又形象化，非常理想，而且也绝对是现实的。郝特林以为戏剧的题材有三种：第一种是变幻莫测诡谲离奇的情节；第二种是热烈顽强的情欲；第三种是情节和情欲混合为一的。上举之例该居第一种，反动政府的政策朝令夕改，变幻离奇，看起来像神话或童话的故事，倘作者处理得不得其当，明明白白是极现实的事件，也会变为不真实的。所以要当心处理的方法，务求处理得"合情合理"（Verisimilar），这就触到主题了，作者必须有一恰好而正确的看法和处理法，方能建立起最正确的主题，由于这主题运用了大好的题材，从而完成了佳作。

（二）决定主题　倘若认为题材是一个作品的第一要素，那么主题该是第二要素，高尔基说：

> 文学的第二要素是主题（Theme）。主题是从作家经验中产生出来的思想；而这种思想，是作家从生活得来的暗示，但却还没有成形地存在于许多的印象之中，一方面要求在形象中体现出来，一方面在作家内心唤起把那种思想具体化的欲望。

因此，可以说主题是作品的灵魂，是作者对于作品中事件的根本认识，依这认识处理题材，直接表现了作者的主观意识，同时告诉你以作品中的中心思想；也可以说："主题是关于人生的永远原理，或真理。"不过，主题虽然同属一种真理，表现它的方法则各有不同：哲学家用抽象的、理论的叙述法；剧作家则用具体的、形象的表现法。法固不一，它达成主题所赋予的任务之目的并没有两样。所以当你有了题材之后，必须马上决定主题,旋就主题去选择材料来加工,这在步骤上看起来并不一样,其实两者都可以"任凭尊便"的。有些作者平时就好记录一切材料以备不时之需,法国剧作家萨都就是这样,据说他死后,人们在他的书房里就找到好几十厚本的材料摘记簿子。总之,主题和题材两者不可分离,同等重要。只要你就题材决定下主题,那么,人物由它产生,故事由它发展,结构也依它安排起来。因为主题有如此之重要,从而自古迄今没有一篇没有主题的作品,更没有一篇缺乏明确的主题的好作品。我们有时读到一篇坏作品,便感到摸不着头脑,不知道作者的用意安在?也不知作品的中心思想是什么?这就是因为它没有明确的主题所致,看了这样的东西就等于没有看,它不会使人永远记忆着,哈密尔顿就说过:

> 看一个没有主题的剧本,隔上一个月就像没有看一样,但戏剧如《谭格瑞的续弦夫人》,只看了一遍就永远不会忘记,因为心是凝着在剧中所具现的中心思想上,从这个不可消去的记忆,便可以在无论何时都能凭借心理的回想作用,记忆出剧中的具体人物来。因此,从中心的主旨,发展一个戏剧,就是剧作家唯一抵抗湮没无闻的手段。

所以凡是作家都得有这种抵抗湮没无闻的手段，凡是欣赏作品的人都希望有一个明确的主题。戏剧原是表现人生的东西，戏剧里的主题自然便是人生的原理或真理。我们知道真实的真理只有一个，每一作品之真正的主题也只有一个，真理是不容人歪曲说明的，每一作品的主题故须明确。譬如你脑子里浮起了对某一事件的概念，例如你浮起了"世界和平必须实现"的概念，就可以捉住这个概念作为剧作的主题，不过这个主题须第一要有真实感，第二要完整，否则，剧作便受了影响。所谓真实者，就是切不可以荒诞无稽出之，要以现实的题材和现实的手法去表现说明主题；所谓完整就是首尾具有，能予人以整个而不是片段或零碎的概念，不管你是主张"没有斗争就没有戏剧"（No struggle no drama.）也好，主张"没有疑问便没有戏剧"（No question no drama.）也好，总之斗争须有完结，疑问须有解决（或暗示）。同时，一篇作品最好只有一个主题，尽管由主题构成的故事容有旁生枝节的时候，可是枝节究竟还是由主题出发的，隶属于主题而不能超越了它的范围。所谓枝节，原是可以旁生的，忌的是多，是乱，作者只能在主题范围内求枝节，也许这些枝节有辅助故事曲折之妙，阐明主题之功，使读者观者因此而获得对于主题之明确的解释，使作品的故事本身更加生动而有意义，那么这些枝节不是作品的赘疣，反是作者所应该迫切要求的。所以，甚至于我们可说主题是作品的灵魂，作者须慎择和善用。

就照这样说，作者既有了适当的题材，又有了明确的主题，那么，第三步该是用多少个和怎样的人来表现这个主题和这些题材的问题了。

（三）选择人物　这个问题本和写小说一样，没有什么大不同，只是戏剧受了空间——舞台的限制，在数目上说是越少越好（群众则不在此限，因群众可以一群、一集团或一阶级处理，他们的感情、言行大致都有共通之点，观众不会以个别的人看待他们的），俾能集中观众的注意力；同时，数目少，对刻画人物的性格一点可得到许多方便，因为一个人所熟悉的性格绝不会过多，如果用上十个以上到二十个左右的人，势必无法各予以一种特殊的个性，使观众在短暂时间内明晰地看出剧中人各有各的特征就不容易；而且，作者即使有能力办到，观众却没有这么多的注意力，何况在任何方面分散了观众的注意力，都可招致戏剧效果的失败，自应不铤而走险。究竟戏剧的观众不像故事小说的读者那么有耐心和多余俾供思索的时间，例如《红楼梦》固为杰出的小说，人物多，性格也多种，读者往往看到后面忘了前面，往往弄不清楚各人的性格有啥不同？人和事件有啥因缘？这人和那人有啥瓜葛？读着读着，常会遇到这些故障，但无妨碍，可以暂时放下书闭目静思一番，或者吸支烟喝杯茶来考虑一下都可随你的欢喜，终究会把纷繁的人物性格和各人间的纠葛弄清的；然而观众怎会有这样悠然地思索的时间？这是最粗浅的道理。

其次，当然是所选取的人物和这些题材、这个主题的血缘关系。人物本身固然需要有血有肉，活生生的，除此外，他们和故事中的事件之瓜葛倘不甚深，予人以可有可无之感时，任你把这些人物的性格刻画得怎样好，也是白费心思的；务必使欣赏者感到这故事少不了他们，如果缺少了甲或乙就无法构成故事似的，能办到这个程度方为合适。常见有些作家的作品由起始到末尾，人物越来越多，而且都是些"突如其来"的人物，前无因缘；又"飘然而去"，后无结果，这自然是不行的。一个人物的登场退场必须有事实的需要，来去分明，交代清楚。固然，"招之即来，挥之即去"系作者的自由，却总不能让人物无所为而来，也不能让人物来一下就不用他了。十多年来，我国有些居然能成名的剧作家，他们的才能，实不敢恭维，其作品往往看起来虽为多幕剧，实际不如称之为独幕剧的拼凑物，每幕都出些新人物，前未见其人，突然出现，而后忽失踪了，人物可以在一幕之中自生自灭，我真想不出这样的剧本可以使他成名得誉的理由！

以上所说，不过是选择人物和处理人物最起码的条件，自然，最必要而最困难的是塑造人物的性格，说来话长，篇幅所限，无法详细论述。有了人物，该进到组织故事了。

（四）构成故事　故事是根据题材，尤其是主题而构成的，有很多作者往往想把故事构成得离奇怪诞，欲以曲折引人入胜，但不顾主题的范围，最易出毛病。我国旧小说的作者常乱七八糟地积聚素材，胡乱地构成一个故事，漫无边际地写下去，故事里套故事，枝节上生枝节，滋生蔓衍，毫无止境，自诩波澜汹涌，不识者也欣赏它神奇曲折，实则已超越了主题范围十万八千里了，变成万壑千山，各自成峰，此山彼山，互竞其高，欣赏者始终寻不到主峰所在。这样驰骋幻想地写成了一篇作品，不必说是一个剧本，即使是一篇小说，也不能算是好作品。那些欢喜逞才使气的作家常犯这个毛病，不管它的辞藻多么美丽，情节多么惑人，只不过是一座七宝楼台，炫人耳目罢了，若把它拆碎下来，便不成片段。写剧本，尤其忌讳这种做法。

但，故事复杂不一定就是坏；同时，单纯也不一定就是好。若在不超越主题范围的原则下，构成一个比较曲折的故事，自然是好的。我的意思只是说勿陷于怪诞不经，务须合情合理，我记得有人说过这么一句话：

一切真实的艺术,像我们所曾经见过的,都是理想的,而且一切真实的艺术,都是建基于现实之上的。

我也就是说作品的题材、主题、人物、故事都必须把基础放在现实之上,才能够产生艺术的真实,完成了真实的艺术作品。一个作者,尤其是一个作剧者该特别要注意这一点:只在题材、主题、人物的选择上付了绝大的精力,不经意地构成故事还可以招来失败的,慎重将事,始可免功亏一篑。骋幻想固可厚非,逞才华也易犯过失,所谓"真正的敌人才是真正的自己",须时刻检查自己是否把握得正确。

说到这,便触到结构,构成故事本就在结构范围之内,分列两项并无绝大必要,为了清楚眉目计,就分开来讲,事实上则可归一,那么就进到第五项。

(五)安排结构　把和主题有关的题材组成一个故事,而这个故事不是杂乱无章的,该是"表现一群依因果律而相互连贯起来,向预定的终局进行的连锁事件"。它不只是一连串的行动,而是步骤分明秩序井然的东西。怎样使行动和行动、感情和感情、事件和事件联结凝合起来,这便是故事的结构功夫,必得有计划地安排。这一个手续极为重要,所以亚里士多德所举的悲剧六要素中,结构居第一,把它分为两种:一是单纯的结构（Single Plot），指把事件的因果关系平明地展开的；一是复杂的结构（Double Plot），指含有急转（Revolution）的。不管结构是单纯或复杂的，第一考虑的是用何种方法叙述故事，从头起顺叙出来呢，抑或从尾起倒叙出来呢？埃斯库罗斯喜用顺叙法，索福克勒斯喜用倒叙法，近代作家喜用半途开始法；各人有各法，有本领的作家，自会各尽其妙的。其他如人物的登场退场须有恰好的安排，整个故事发展的段落，更要妥为划分，分幕分场，安置重点等等都得煞费脑力，开头所讲到的五部三局，也就是安排结构的通则，能就这通则处理，大致不会犯大病。自然，安排作品的结构并不是件容易的工作，各运各的巧思，真的要我讲也无从讲起，还是希望多读名作，最好选几个剧本按幕按场地分析一下，然后会明白名家作品的结构如何缜密到无懈可击。在这里，我可举易卜生的《玩偶之家》这一个三幕剧为例，但为了篇幅所限，仍不能把三幕的结构详加分析，只稍说一说易卜生如何决定主题，选取题材，构成故事，抉择人物，至于安排结构还望亲读该剧才行。

易卜生是剧作家，也是思想家，他对妇女问题关心，以为在现实社会，女子不能保全贞操，没有地位，都因一切法律都从男性观点出发而定下来的。他很想写一个有关这方面的剧本，恰巧，1879年4月间，他听说丹麦一个法院里受理了一件某人的妻子因伪造银行支票而自杀的案子,这一件事在别人看来并没什么了不得,在他却触动了作剧的灵感,于是决定写一个描写家庭婚姻问题的《玩偶之家》。首先他决定了主题——描写女人在现代家庭中终成为男人的玩物,应该要求独立的人格和地位,为了这,只有走出家庭一途。从而由这样的主题,构成了这样一个故事:

> 娜拉是郝尔茂的妻子,曾经因她的丈夫身体虚弱,须到意大利去疗养。可是,家无积蓄,致没有这笔经费,她便假冒父亲的签字,私自立约向丈夫的同学柯乐克借贷。数年以来,节衣缩食,暗中分期还债,郝尔茂则一无所知,反责她浪费。现在郝尔茂将出任银行的经理,因前在银行供职的柯乐克有恶名,欲加辞退,柯乐克情急,乃恐吓娜拉,倘她不能设法保全他的位置,要将冒名签字一节公开,以陷害他两夫妇。娜拉不得已向夫求情,郝尔茂不允,反立即辞退柯乐克。柯乐克便将个中秘密备函告知郝尔茂,郝尔茂大怒,痛骂娜拉。在这以前娜拉有友林敦夫人,本与柯乐克相爱,无奈迫于家计而另嫁,旋夫死,孑然一身,来投娜拉,闻知此事,出为调解,愿与柯乐克重修旧好,劝他将原借约退还娜拉。郝尔茂认为个人名誉从此可以保

全，大喜过望，甘言劝慰娜拉。而娜拉则已觉悟，原来她丈夫并不了解她、真爱她。她在家庭中并无独立的人格，乃决然离家出走，追寻她自己的生活去。

有了这故事，选取了娜拉、郝尔茂（丈夫）、柯乐克（丈夫的学友）、林敦夫人（娜拉的知友）、南陔医生（娜拉和丈夫共同的好友）、乳母阿纳和娜拉的儿女来作表现这故事中的人物，把整个故事安排为三幕，三幕中由人物的登场和退场区分为二十三场对话。第一幕里介绍了全剧所有的人物，交代了剧前的情事，描写了娜拉在家庭中的状况，乃丈夫对妻子的伪爱情形，埋伏了后二幕发展的许多暗线。第二幕把剧情展开，重点放在娜拉怕柯乐克将她冒名签支票的事告其丈夫的心理以及终于柯乐克以此威胁，使她走向绝境；作者干净利落地在一幕之中把剧情由展开拖到了顶点，但不失其层次，一步逼紧一步。第三幕由解结描写到娜拉出走；在这一幕中作者更大显其身手，把剧情越逼越紧，每显露不得不放松的刹那却又故意迟迟不放，使观众心中的铅块不轻易卸下，及到解决了危机，观众满以为从此可以放下心了，却又不然，作者偏又使娜拉的心志陡转为由觉悟而坚决地离开家庭，观众以为这个戏会得到一个团圆的结局（Happy ending），出乎意外的是一个破裂的收束，而且这最后一幕便是归结到主题，点明了主题的意义，告白了作者的思想及全剧的精神，价值都在乎此，真是"画龙点睛"之笔！也由此，这个剧本被世人誉为"十九世纪一大杰作"了。

我在这里，只能为此简略地说了这么一些，诸君欲知其安排结构的巧妙，请读原作品，这里还是往下说写对话罢。

（六）填写台词　用"填写"两个字，未免有看轻台词之嫌，实则我的本意不是看轻它，只是说一切已筹备就绪，所谓"万事俱备，只欠东风"。东风对于赤壁之战是多么重大的东西！而台词之于剧本也是同样的重要，不过主观一切具备了，只要按照已有的故事和结构，写上台词，好坏暂不去管它，至少可以完成一个剧本了。自然，写台词对于一个作剧者还是一件最基本而又最困难的工作，因为一切文学都是用语言来写的，戏剧尤其依赖简约、正确、明了的语言来表现人的行为，必须句句落实，一点不能浪费，又须合剧中人的年龄、身份、习惯、性格。限制也特别多，为着描写活生生的人，就得用活生生的语言，高尔基在《论社会主义的现实主义》中说：

> 作家必须理解：他不只是用笔写，而且也用语言写；

他不是像描绘人们的静止姿态的画匠似的描写，而是把人在不断的运动和行动中，在他们之间的无限的冲突中，在阶级和集团和个人的斗争中来描写的。

若把这段话移来说明写剧本的台词，再恰当不过了：一因剧本是全部用活语言写的，二因戏剧是表现人之动的行为，三因戏剧都是表现阶级和集团和个人的冲突斗争的。所以剧作家必须以正确而明晰的口语雕塑出剧中的人物和事件来。

关于台词，在第一讲"怎样读剧"中已谈过一些，在此也不想多谈，不消说，还是为了篇幅有限。按台词的形式普通有三种：第一种是独白（Monologue），也就是个人的自言自语，一个人间或有之，但不常有，除非疯子，正常人是不大自言自语的，唯"间或有之"，也还运用；第二种是对话（Dialogue），这是最普通的台词，各人的相互交谈；第三种是旁白（Aside），这在我国旧戏里叫作"打背拱"，在人旁说话时用衣袖或扇子遮住自己的脸而说出来，大致是剧中人心里要说而不说的话，在舞台上虽站在人旁也说出来，却仍当作旁人是听不到的。由这样看来，最自然的当是第二种对话，因此，近代舞台上废弃了第三种旁白，也不大用第一种独白。

然而无论是哪一种，它必须是"戏剧的语言"，绝不同于其他文学作品的语言，每一词句都会有动的要素，虽然，"戏剧的语言"也可分为三种，动的要素或显于语言的外表，或潜在语言的内里，只有这点不同罢了，本身总须是活的动的。这三种"戏剧的语言"是：灵魂的言语（Mot de Spirit），境遇的言语（Mot de Situation），性格的言语（Mot de Caractero）。不管你运用哪一种，或两种并用、三种并用都随心所欲，但你如能"在戏剧的某种境遇中借某性格说出来，那些语句才会发生充分的效果"。

因为用语言表达剧情的手段，毕竟已属第二义，用动作表达方是第一种方法，事实上可以有没有语言的戏剧，但不会有没有动作的戏剧，跟"事实胜于雄辩"一样，"动作胜于言辞"，所以我们有这么一句话：

Actions speak louder than words.

确实如此，戏剧的动作是比戏剧的言辞说得更响亮些。最后，我引平内罗的话作为本文的收束吧。他说：

不只使性格凭借对话的手段说出故事来，更进一步，在普通的剧场里,充分使无遗憾地发挥剧场特有之情绪的效果,依照精心组织成的形式及顺序说出来。

能如此,你所写的剧本,就会有很好的成就。

1950年冬于湖南大学

《戏剧的欣赏和创作》版本一览

1. （北京）群众书店，1951年4月初版

2. 广东高等教育出版社，据（北京）群众书店1951年4月版，收入《董每戡文集》（上卷），1999年8月第一版

3. （长沙）岳麓书社，据（北京）群众书店1951年4月版，收入《董每戡集》（第三卷），2011年5月第一版

4. 本版据（长沙）岳麓书社2011年5月版《董每戡集》，并校订文字

国家新闻出版广电总局
首届向全国推荐中华优秀传统文化普及图书

大家小书书目

国学救亡讲演录	章太炎 著	蒙 木 编
门外文谈	鲁 迅 著	
经典常谈	朱自清 著	
语言与文化	罗常培 著	
习坎庸言校正	罗 庸 著	杜志勇 校注
鸭池十讲（增订本）	罗 庸 著	杜志勇 编订
古代汉语常识	王 力 著	
国学概论新编	谭正璧 编著	
文言尺牍入门	谭正璧 著	
日用交谊尺牍	谭正璧 著	
敦煌学概论	姜亮夫 著	
训诂简论	陆宗达 著	
金石丛话	施蛰存 著	
常识	周有光 著	叶 芳 编
文言津逮	张中行 著	
经学常谈	屈守元 著	
国学讲演录	程应镠 著	
英语学习	李赋宁 著	
中国字典史略	刘叶秋 著	
语文修养	刘叶秋 著	
笔祸史谈丛	黄 裳 著	
古典目录学浅说	来新夏 著	
闲谈写对联	白化文 著	
汉字知识	郭锡良 著	
怎样使用标点符号（增订本）	苏培成 著	
汉字构型学讲座	王 宁 著	

诗境浅说	俞陛云 著	
唐五代词境浅说	俞陛云 著	
北宋词境浅说	俞陛云 著	
南宋词境浅说	俞陛云 著	
人间词话新注	王国维 著	滕咸惠 校注
苏辛词说	顾随 著	陈均 校
诗论	朱光潜 著	
唐五代两宋词史稿	郑振铎 著	
唐诗杂论	闻一多 著	
诗词格律概要	王力 著	
唐宋词欣赏	夏承焘 著	
槐屋古诗说	俞平伯 著	
词学十讲	龙榆生 著	
词曲概论	龙榆生 著	
唐宋词格律	龙榆生 著	
楚辞讲录	姜亮夫 著	
读词偶记	詹安泰 著	
中国古典诗歌讲稿	浦江清 著 浦汉明 彭书麟 整理	
唐人绝句启蒙	李霁野 著	
唐宋词启蒙	李霁野 著	
唐诗研究	胡云翼 著	
风诗心赏	萧涤非 著	萧光乾 萧海川 编
人民诗人杜甫	萧涤非 著	萧光乾 萧海川 编
唐宋词概说	吴世昌 著	
宋词赏析	沈祖棻 著	
唐人七绝诗浅释	沈祖棻 著	
道教徒的诗人李白及其痛苦	李长之 著	
英美现代诗谈	王佐良 著	董伯韬 编
闲坐说诗经	金性尧 著	
陶渊明批评	萧望卿 著	

古典诗文述略	吴小如 著
诗的魅力	
——郑敏谈外国诗歌	郑 敏 著
新诗与传统	郑 敏 著
一诗一世界	邵燕祥 著
舒芜说诗	舒 芜 著
名篇词例选说	叶嘉莹 著
汉魏六朝诗简说	王运熙 著 董伯韬 编
唐诗纵横谈	周勋初 著
楚辞讲座	汤炳正 著
	汤序波 汤文瑞 整理
好诗不厌百回读	袁行霈 著
山水有清音	
——古代山水田园诗鉴要	葛晓音 著
红楼梦考证	胡 适 著
《水浒传》考证	胡 适 著
《水浒传》与中国社会	萨孟武 著
《西游记》与中国古代政治	萨孟武 著
《红楼梦》与中国旧家庭	萨孟武 著
《金瓶梅》人物	孟 超 著 张光宇 绘
水泊梁山英雄谱	孟 超 著 张光宇 绘
水浒五论	聂绀弩 著
《三国演义》试论	董每戡 著
《红楼梦》的艺术生命	吴组缃 著 刘勇强 编
《红楼梦》探源	吴世昌 著
《西游记》漫话	林 庚 著
史诗《红楼梦》	何其芳 著
	王叔晖 图 蒙 木 编
细说红楼	周绍良 著
红楼小讲	周汝昌 著 周伦玲 整理

曹雪芹的故事	周汝昌 著	周伦玲 整理
古典小说漫稿	吴小如 著	
三生石上旧精魂		
——中国古代小说与宗教	白化文 著	
《金瓶梅》十二讲	宁宗一 著	
中国古典小说十五讲	宁宗一 著	
古体小说论要	程毅中 著	
近体小说论要	程毅中 著	
《聊斋志异》面面观	马振方 著	
《儒林外史》简说	何满子 著	
我的杂学	周作人 著	张丽华 编
写作常谈	叶圣陶 著	
中国骈文概论	瞿兑之 著	
谈修养	朱光潜 著	
给青年的十二封信	朱光潜 著	
论雅俗共赏	朱自清 著	
文学概论讲义	老舍 著	
中国文学史导论	罗庸 著	杜志勇 辑校
给少男少女	李霁野 著	
古典文学略述	王季思 著	王兆凯 编
古典戏曲略说	王季思 著	王兆凯 编
鲁迅批判	李长之 著	
唐代进士行卷与文学	程千帆 著	
说八股	启功 张中行	金克木 著
译余偶拾	杨宪益 著	
文学漫识	杨宪益 著	
三国谈心录	金性尧 著	
夜阑话韩柳	金性尧 著	
漫谈西方文学	李赋宁 著	
历代笔记概述	刘叶秋 著	

周作人概观	舒芜	著
古代文学入门	王运熙 著 董伯韬	编
有琴一张	资中筠	著
中国文化与世界文化	乐黛云	著
新文学小讲	严家炎	著
回归，还是出发	高尔泰	著
文学的阅读	洪子诚	著
中国文学1949—1989	洪子诚	著
鲁迅作品细读	钱理群	著
中国戏曲	么书仪	著
元曲十题	么书仪	著
唐宋八大家 ——古代散文的典范	葛晓音	选译
辛亥革命亲历记	吴玉章	著
中国历史讲话	熊十力	著
中国史学入门	顾颉刚 著 何启君	整理
秦汉的方士与儒生	顾颉刚	著
三国史话	吕思勉	著
史学要论	李大钊	著
中国近代史	蒋廷黻	著
民族与古代中国史	傅斯年	著
五谷史话	万国鼎 著 徐定懿	编
民族文话	郑振铎	著
史料与史学	翦伯赞	著
秦汉史九讲	翦伯赞	著
唐代社会概略	黄现璠	著
清史简述	郑天挺	著
两汉社会生活概述	谢国桢	著
中国文化与中国的兵	雷海宗	著
元史讲座	韩儒林	著

魏晋南北朝史稿	贺昌群	著
汉唐精神	贺昌群	著
海上丝路与文化交流	常任侠	著
中国史纲	张荫麟	著
两宋史纲	张荫麟	著
北宋政治改革家王安石	邓广铭	著
从紫禁城到故宫 ——营建、艺术、史事	单士元	著
春秋史	童书业	著
明史简述	吴　晗	著
朱元璋传	吴　晗	著
明朝开国史	吴　晗	著
旧史新谈	吴　晗	著　习之编
史学遗产六讲	白寿彝	著
先秦思想讲话	杨向奎	著
司马迁之人格与风格	李长之	著
历史人物	郭沫若	著
屈原研究（增订本）	郭沫若	著
考古寻根记	苏秉琦	著
舆地勾稽六十年	谭其骧	著
魏晋南北朝隋唐史	唐长孺	著
秦汉史略	何兹全	著
魏晋南北朝史略	何兹全	著
司马迁	季镇淮	著
唐王朝的崛起与兴盛	汪　篯	著
南北朝史话	程应镠	著
二千年间	胡　绳	著
论三国人物	方诗铭	著
辽代史话	陈　述	著
考古发现与中西文化交流	宿　白	著
清史三百年	戴　逸	著

清史寻踪	戴逸 著	
走出中国近代史	章开沅 著	
中国古代政治文明讲略	张传玺 著	
艺术、神话与祭祀	张光直 著	
	刘静 乌鲁木加甫 译	
中国古代衣食住行	许嘉璐 著	
辽夏金元小史	邱树森 著	
中国古代史学十讲	瞿林东 著	
历代官制概述	瞿宣颖 著	
宾虹论画	黄宾虹 著	
中国绘画史	陈师曾 著	
和青年朋友谈书法	沈尹默 著	
中国画法研究	吕凤子 著	
桥梁史话	茅以升 著	
中国戏剧史讲座	周贻白 著	
中国戏剧简史	董每戡 著	
西洋戏剧简史	董每戡 著	
俞平伯说昆曲	俞平伯 著	陈均 编
新建筑与流派	童寯 著	
论园	童寯 著	
拙匠随笔	梁思成 著	林洙 编
中国建筑艺术	梁思成 著	林洙 编
沈从文讲文物	沈从文 著	王风 编
中国画的艺术	徐悲鸿 著	马小起 编
中国绘画史纲	傅抱石 著	
龙坡谈艺	台静农 著	
中国舞蹈史话	常任侠 著	
中国美术史谈	常任侠 著	
说书与戏曲	金受申 著	
世界美术名作二十讲	傅雷 著	

中国画论体系及其批评	李长之 著	
金石书画漫谈	启 功 著	赵仁珪 编
吞山怀谷		
——中国山水园林艺术	汪菊渊 著	
故宫探微	朱家溍 著	
中国古代音乐与舞蹈	阴法鲁 著	刘玉才 编
梓翁说园	陈从周 著	
旧戏新谈	黄 裳 著	
民间年画十讲	王树村 著	姜彦文 编
民间美术与民俗	王树村 著	姜彦文 编
长城史话	罗哲文 著	
天工人巧		
——中国古园林六讲	罗哲文 著	
现代建筑奠基人	罗小未 著	
世界桥梁趣谈	唐寰澄 著	
如何欣赏一座桥	唐寰澄 著	
桥梁的故事	唐寰澄 著	
园林的意境	周维权 著	
万方安和		
——皇家园林的故事	周维权 著	
乡土漫谈	陈志华 著	
现代建筑的故事	吴焕加 著	
中国古代建筑概说	傅熹年 著	
简易哲学纲要	蔡元培 著	
大学教育	蔡元培 著	
	北大元培学院 编	
老子、孔子、墨子及其学派	梁启超 著	
春秋战国思想史话	嵇文甫 著	
晚明思想史论	嵇文甫 著	
新人生论	冯友兰 著	

中国哲学与未来世界哲学	冯友兰 著	
谈美	朱光潜 著	
谈美书简	朱光潜 著	
中国古代心理学思想	潘菽 著	
新人生观	罗家伦 著	
佛教基本知识	周叔迦 著	
儒学述要	罗庸 著	杜志勇 辑校
老子其人其书及其学派	詹剑峰 著	
周易简要	李镜池 著	李铭建 编
希腊漫话	罗念生 著	
佛教常识答问	赵朴初 著	
维也纳学派哲学	洪谦 著	
大一统与儒家思想	杨向奎 著	
孔子的故事	李长之 著	
西洋哲学史	李长之 著	
哲学讲话	艾思奇 著	
中国文化六讲	何兹全 著	
墨子与墨家	任继愈 著	
中华慧命续千年	萧萐父 著	
儒学十讲	汤一介 著	
汉化佛教与佛寺	白化文 著	
传统文化六讲	金开诚 著	金舒年 徐令缘 编
美是自由的象征	高尔泰 著	
艺术的觉醒	高尔泰 著	
中华文化片论	冯天瑜 著	
儒者的智慧	郭齐勇 著	
中国政治思想史	吕思勉 著	
市政制度	张慰慈 著	
政治学大纲	张慰慈 著	
民俗与迷信	江绍原 著	陈泳超 整理

政治的学问	钱端升	著	钱元强	编
从古典经济学派到马克思	陈岱孙	著		
乡土中国	费孝通	著		
社会调查自白	费孝通	著		
怎样做好律师	张思之	著	孙国栋	编
中西之交	陈乐民	著		
律师与法治	江 平	著	孙国栋	编
中华法文化史镜鉴	张晋藩	著		
新闻艺术(增订本)	徐铸成	著		
经济学常识	吴敬琏	著	马国川	编
中国化学史稿	张子高	编著		
中国机械工程发明史	刘仙洲	著		
天道与人文	竺可桢	著	施爱东	编
中国医学史略	范行准	著		
优选法与统筹法平话	华罗庚	著		
数学知识竞赛五讲	华罗庚	著		
中国历史上的科学发明(插图本)	钱伟长	著		

出版说明

"大家小书"多是一代大家的经典著作,在还属于手抄的著述年代里,每个字都是经过作者精琢细磨之后所拣选的。为尊重作者写作习惯和遣词风格、尊重语言文字自身发展流变的规律,为读者提供一个可靠的版本,"大家小书"对于已经经典化的作品不进行现代汉语的规范化处理。

提请读者特别注意。

北京出版社